Un pas après l'autre…

Adèle Royon

Un pas après l'autre…

Roman

LE LYS BLEU
ÉDITIONS

© Lys Bleu Éditions – Adèle Royon

ISBN : 979-10-377-7449-1

À Flavie, Lucie, Evie, Étienne,
mes enfants chéris

Même le plus long des voyages commence par un premier pas.

Lao Tseu

Chapitre 1

Juillet 2021

Sophie Latour vérifia encore une fois qu'il n'y avait pas d'erreur dans les livraisons prévues. La crise sanitaire mondiale de l'année dernière les avait tellement fait souffrir au niveau commercial qu'elle tenait à ce que 2021 fût une réussite. Elle s'obstinait à s'assurer par elle-même que les bouteilles étaient bien emballées. Elle avait participé au choix du design pour les étiquettes et s'attachait à ce que les bouteilles fussent bien couchées dans leurs cartons, afin que la première vision de l'acheteur fût ces belles vignettes !

Au sortir de l'immense cave voûtée où s'alignaient en longues rangées bien ordonnées des barriques en bois, elle plaça sa main gauche au-dessus de ses yeux pour les protéger de la trop forte luminosité et aperçut sa belle-sœur qui lui faisait signe de loin.

En regardant autour d'elle, la jeune femme était toujours aussi émerveillée par cette immense propriété à quelques encablures de la mer, qui surplombait le massif de la Clape aux portes de Gruissan.

Elle coiffa son chapeau de paille sur ses longs cheveux blonds, rajusta ses lunettes de soleil et traversa la cour à peine ombragée pour rejoindre Camille.

Les tables étaient dressées à l'ombre douce des platanes mûriers. Les nappes blanches s'agitaient légèrement dans le vent d'été.

Camille Latour contrôlait, pour la énième fois, qu'il ne manquait rien sur les tables. Pour cet after-work musical, elle voulait que tout fût parfait. Les réservations s'avéraient être nombreuses en ce vendredi de début juillet, et aucun grain de sable ne devait venir enrayer la machine. Sinon, elle se doutait que son beau-père ne lui ferait pas de cadeau.

Il était si fort réticent au projet de ses enfants, Gabriel et Sophie, de faire du château Latour un pôle d'œnotourisme, que lorsqu'elle avait proposé d'organiser ces rendez-vous avec dégustations et tapas tous les vendredis, elle avait bien cru que Jean Latour ne cèderait jamais. Contre toute attente, il avait fini par accepter.

Durant la grosse saison estivale, Camille avait même arraché l'autorisation d'organiser six concerts pour animer ces apéritifs vignerons. Obtenir l'accord de ses beaux-parents pour toutes les modifications qu'elle envisageait n'avait pas été une mince affaire. Il avait fallu discuter encore et encore. Fort heureusement, elle avait pu s'appuyer sur la détermination sans faille à moderniser et faire fructifier le domaine familial de son mari Gabriel et de sa belle-sœur Sophie.

Travailler au château Latour n'était pas toujours une partie de plaisir, notamment pendant la pleine saison. Mais elle adorait y vivre et appréciait chaque jour quel bonheur c'était d'y élever ses deux jeunes enfants. Le lieu était magique, face à la Méditerranée, au cœur de la garrigue, de la vigne, des oliviers et des pins.

Après leur mariage, Gabriel et elle s'étaient installés dans l'une des nombreuses bâtisses que ses beaux-parents avaient remises en état pour en faire des gîtes sublimes.

Marie Latour, son adorable et infatigable belle-mère s'occupait depuis toujours d'accueillir des visiteurs le temps d'un week-end ou de séjours plus longs, tandis que son mari Jean poursuivait, pour la quatrième génération, le travail de la vigne.

Camille espérait que l'un de ses enfants s'orienterait aussi vers cette passion familiale.

Elle en était là de ses rêveries, lorsque Sophie la rejoignit.

Cette dernière lui sourit et lui proposa de rentrer prendre un grand verre de thé glacé. Les deux jeunes femmes se dirigèrent vers le château.

Marie les attendait sur le perron. Elles montèrent en courant les vieilles marches en pierre, lustrées par le temps.

— Venez boire quelque chose de frais, les filles ! leur offrit Marie Latour. Il fait bien trop chaud pour rester dehors aujourd'hui.

Elle était ravie que ses enfants aient eu envie de prendre la suite de l'exploitation.

À soixante-huit ans, Jean pensait à profiter bientôt d'une retraite plus que méritée. Marie savait que Gabriel avait la vigne dans le sang. Camille se débrouillait déjà très bien avec les gîtes et elle venait de leur prouver qu'elle savait aussi mettre sur pied et mener à bien de nouveaux projets.

Le bonheur de Marie était indicible grâce à Victoire et Alexandre, ses deux petits-enfants qui vivaient au domaine et dont elle pouvait s'occuper jour après jour.

Elle était très fière de chacun de ses trois enfants.

Sophie, sa petite dernière de vingt-quatre ans, avait poursuivi des études poussées et venait d'intégrer la structure familiale, son diplôme d'ingénieure en poche. D'aussi loin que remontaient les souvenirs de Marie, sa Sophinette avait toujours aimé travailler dans les caves. Petite, elle s'installait à califourchon sur les fûts pendant que son père partageait avec elle le secret des assemblages. Elle pensait que la petite fille n'y comprenait rien et qu'elle ne suivait son père que pour le bonheur d'être proche de lui.

Mais en réalité, Sophie aimait le travail de la vigne et n'avait jamais renoncé, malgré la discrimination de genre dont les jeunes filles souffraient encore trop souvent dans ce milieu.

Avec émoi, Marie se remémora la peur qui l'avait tétanisée lorsqu'un soir Sophie avait disparu. Tout le monde était parti à la recherche de la petite fille. Elle se rappelait encore l'émotion éprouvée quand la minuscule fillette avait été retrouvée, endormie au cœur d'un énorme foudre en bois.

De ce jour-là, Jean ordonna que la trappe des foudres désaffectés fût grillagée afin qu'aucune autre mésaventure du même genre ne se reproduisît plus.

Quant à Florent, son cadet âgé de vingt-huit ans, elle craignait pour sa vie à chaque intervention mais elle admirait le courage et la dévotion de son fils sapeur-pompier. Cependant, elle regrettait qu'il dût vivre en caserne au SDIS de Narbonne. Il n'était pas loin, mais elle aurait préféré qu'il vécût au domaine, comme les deux autres.

Avec un léger soupir, elle secoua ses cheveux blonds coupés au carré et servit de l'orangeade bien fraîche aux deux jeunes femmes.

Les vacances d'été venaient de débuter. Les juniors, comme elle les appelait affectueusement, étaient débordés.

Marie gardait un œil sur son petit-fils Alexandre, qui tentait en vain de dresser Figaro, le gros chat roux de la maison. Elle consulta sa montre. Il serait bientôt l'heure pour elle d'aller récupérer Victoire qui prenait des cours de natation à la piscine municipale de Narbonne. À cette heure-ci, la circulation serait dense, mais l'horaire du cours n'avait pu être modifié.

Pendant qu'elle cherchait ses clés de voiture et son sac à main, Camille et Sophie s'étaient assises sur les hauts tabourets face au comptoir de la cuisine ouverte et profitaient avec plaisir de ce moment de repos.

— Alors, tes bagages sont prêts ? demanda Camille.

— Presque ! Il me reste quelques bricoles à y mettre. Il faut aussi que je rajoute un pull ou deux. J'imagine qu'en Allemagne, il fera plus frais qu'ici, répondit Sophie en passant une main dans ses longs cheveux emmêlés, où perlaient quelques gouttes de sueur.

— Juliette part toujours avec toi ?

— Oui, bien sûr. Elle est aussi impatiente que moi.

— Que fera-t-elle après ce stage ?

— Elle ne sait pas trop. Elle a eu plusieurs propositions dans les environs, mais elle préférerait aller travailler à Bordeaux. Elle a envoyé quelques CV. Elle espère des réponses positives.

Juliette Constant, l'amie d'enfance de Sophie, avait suivi le même cursus scolaire qu'elle. Toutes deux venaient de rentrer de Bordeaux après avoir bouclé leurs études universitaires. Mais alors que Sophie avait une voie royale toute tracée devant elle en travaillant au domaine familial, Juliette n'avait pas cette chance et rêvait de grands châteaux à la renommée internationale. Elle se voyait bien poursuivre sa route dans le Bordelais.

Pour parachever leur cursus, Jean Latour leur avait obtenu un stage d'un mois chez un ami à lui, viticulteur à Ahrweiler, à une petite heure de Cologne. Les deux jeunes femmes devaient donc s'envoler très prochainement pour la vallée de l'Ahr.

Dieter et Ottilie Hofmann avaient accepté avec grand plaisir de les accueillir chez eux et de les initier aux secrets des vins de la région.

Sophie piaffait d'impatience. Impatience due à la nouveauté mais aussi parce que ce stage marquerait la fin de ses longues études et son entrée dans le monde réel du travail. Elle mourait d'envie de mettre enfin en application tout ce qu'elle avait appris.

Son père lui avait témoigné une telle confiance en lui offrant de prendre le relais du maître de chai actuel, qui souhaitait prendre sa retraite, que cette seule évocation la faisait encore rosir de plaisir.

Contrairement à de nombreux camarades d'université qui avaient envie de voler de leurs propres ailes, elle ne craignait pas de travailler en famille. Sophie trouvait rassurant de se savoir entourée et accompagnée avec bienveillance. Elle savait que les décisions concernant le domaine seraient prises à plusieurs, mais son bagage universitaire était solide et elle n'avait pas peur, malgré son jeune âge, de se lancer dans l'aventure ! Elle s'entendait à merveille avec son frère et son père, qui seraient dorénavant ses principaux interlocuteurs professionnels.

Elle entretenait de bonnes relations avec le personnel permanent et avait travaillé chaque été avec les saisonniers lors des vendanges. Elle connaissait sur le bout des doigts toutes les strates professionnelles du domaine.

Sophie saluait la chance qu'elle avait de vivre au domaine, entourée par les siens, qu'elle aimait profondément. Elle adorait ses neveux et les gâtait outrageusement. Tout le monde s'accordait à dire que Victoire était son portrait craché. En effet, la fillette de six ans avait les mêmes longs cheveux blonds et les mêmes yeux verts que sa tante. Pourtant, la ressemblance s'arrêtait là. La petite était plus attirée par les poupées Barbie que par la vinification, ce qui n'avait jamais été le cas de Sophie. Pour sa part, les poupées autrefois reçues dormaient, oubliées, au fond d'un grand carton, à peine déballées de leur boîte.

Quant à Alexandre, c'était le portrait de Gabriel et il le suivait partout, malgré ses quatre ans. À l'époque des vendanges, il aurait aimé courir d'un rang à l'autre, mais son père ne le lui autorisait pas, trouvant bien trop dangereux qu'il ne fût pas surveillé de près quand circulaient les engins agricoles.

Alors, pour le consoler, son grand-père le hissait sur ses épaules et parcourait quelques rangs avec lui. Alexandre riait aux éclats et se sentait le roi du monde quand il était ainsi juché sur Jean Latour. Comme il l'avait fait avec Gabriel puis Sophie, Jean lui expliquait la vigne, le vin, le soleil. Sans nul doute, il préparait la sixième génération, comme le disait avec attendrissement Marie.

Ce soir-là, un violoncelliste et une violoniste régalaient les convives avec un concerto de Schumann.

Les tables rondes dressées par Camille étaient toutes occupées. Sur certaines, quelques assiettes de tapas voisinaient avec des verres de vin.

Camille avait eu l'idée de faire sérigraphier les verres au nom du château. Les clients qui le souhaitaient pouvaient les emporter contre quelques euros. Cette offre plaisait beaucoup aux hôtes de passage qui n'hésitaient pas à en faire l'acquisition dès lors qu'ils repartaient chez eux avec un souvenir. Cela permettait aussi de vendre plus facilement quelques bouteilles supplémentaires.

Les visiteurs se rendaient-ils compte qu'ici les vins blancs tutoyaient les embruns de la mer ou que les rouges empruntaient à la garrigue son soleil d'été ? se demandait Sophie, en débouchant une bouteille commandée par un groupe de Belges.

Elle mit le bouchon sous son nez, le huma un instant puis rajusta très vite son masque avant de proposer à voix basse d'emplir les verres. Elle ne voulait pas troubler la félicité provoquée par la musique si douce, si enveloppante, si émouvante.

Quelques bougies étaient allumées un peu partout et les flammes tremblotaient dans les photophores posés à même le sol. La nuit était proche. Petit à petit l'obscurité effaçait les couleurs. La sérénité du lieu et du moment fut subitement troublée par les applaudissements nourris qui saluèrent la fin du morceau de musique.

À regret, les convives se levaient et regagnaient lentement leurs véhicules, en continuant à chuchoter comme pour préserver la magie de l'instant.

Lorsque tous les clients furent partis, la ronde des plateaux se mit en ordre de bataille. Camille, Gabriel et Sophie eurent tôt fait de tout débarrasser et de mettre en route le lave-vaisselle et le lave-linge.

Camille avait insisté pour que les nappes et les serviettes fussent en coton bio. C'était un surplus de travail, mais elle avait refusé de transiger. Elle s'astreignait au lavage et surtout au repassage chaque semaine. Elle accumulait en plus le linge des gîtes, le gros lave-linge était donc indispensable à cette activité. Une femme du village venait l'épauler deux à trois fois par semaine, selon la saison.

Quand tout fut enfin propre et rangé, les trois jeunes gens restèrent encore un peu dehors pour profiter de la douceur de la nuit et échanger sur la réception qui venait de s'achever.

Gabriel, qui avait été chargé de vérifier que les mesures sanitaires, dont les distanciations, étaient respectées, n'avait pas rencontré d'opposition de la part des clients. Preuve que la communication sur les réseaux sociaux était efficace.

Le lendemain, Marie avait décidé de réunir la famille lors d'un grand repas en plein air pour fêter dignement le départ de sa fille.

Gabriel et Sophie avaient choisi les vins un peu plus tôt dans l'après-midi.

Camille avait proposé ses services pour confectionner de savoureux clafoutis aux fruits d'été.

Marie avait insisté pour s'occuper du reste du repas et leur réservait une surprise de son choix.

Chacun espérait que Florent ne serait pas appelé pendant ce déjeuner familial, mais avec son métier, il était particulièrement difficile de programmer quelque chose.

Quelques bâillements, pourtant discrets, de Camille leur firent prendre conscience qu'il était l'heure de regagner leur lit. Travailler au domaine était épuisant, les journées commençaient très tôt et se terminaient parfois tard, comme ce soir-là.

Quelques baisers affectueux furent échangés et les trois jeunes gens regagnèrent leurs maisons.

Après une rapide douche tiède, quand Sophie posa enfin la tête sur son oreiller, elle n'eut guère le temps de repenser à sa longue journée laborieuse, ses yeux se fermèrent aussitôt et elle sombra dans un profond sommeil.

Chapitre 2

Dans l'après-midi, l'alarme stridente retentit au SDIS de Narbonne. Un incendie venait de se déclarer. Chaque sapeur-pompier d'astreinte savait ce qu'il avait à faire.

Le lieutenant Latour partit en courant récupérer son matériel. Il rejoignit son ami, le capitaine Lartigue, qui lui cria qu'il s'agissait encore de la Clape. Florent tressaillit à l'évocation de ce nom. Le domaine familial s'étendait aussi sur ce massif.

Les gros camions rouges partirent à toute vitesse, sirènes hurlantes.

D'après les premiers éléments dont disposait Florent, le feu était parti du parking de l'observatoire, sur la route de Narbonne-Plage.

Malgré les mesures préventives lancées en juin et les quelques trois cents pompiers d'astreinte chaque jour, la situation apparaissait tendue en raison de la sécheresse de cet été.

De loin, on pouvait voir la propagation de l'incendie qui se déplaçait, en fonction des vents, vers la plage et Gruissan. Il avait fallu évacuer plus d'une centaine de campeurs ainsi que les habitants des domaines alentour. Les soldats du feu travaillèrent toute la nuit pour limiter la progression du brasier vers le village gruissanais.

Dimanche matin, le dispositif fut allégé à la faveur de la pluie. Il fallait tout de même surveiller les points chauds attisés par le vent, parce que les troncs d'arbre pouvaient continuer à se consumer, et ce, malgré la pluie.

Florent était épuisé par cette nuit cauchemardesque. Il venait de regagner le camion et luttait pour ne pas s'endormir sur le siège.

— Allez, mon vieux, courage ! lui lança Matthieu Lartigue. On va bientôt passer le relais aux colonnes venues en renfort.

— Je suis mort ! répondit Florent d'une voix lasse. Je rêve d'une douche et de mon lit.

Matthieu le regarda en hochant la tête, partageant en cet instant les mêmes simples envies.

Dès la première sonnerie de son téléphone portable, Sophie rejeta le drap et s'étira longuement, le sourire aux lèvres. Le départ pour l'Allemagne était enfin arrivé. Elle l'attendait impatiemment depuis plusieurs jours.

Après avoir avalé son petit déjeuner, elle s'empressa de se préparer et de vérifier une dernière fois qu'elle n'avait pas oublié de glisser son passeport et ses billets d'avion dans son sac à main.

Un petit bip lui fit consulter rapidement son téléphone. Juliette venait de lui adresser un GIF de la danse de la joie. En pouffant, Sophie lui répondit puis glissa son portable dans la poche arrière de son jean.

Elle avait choisi une tenue simple et confortable pour ce voyage. Avant de quitter la maison, elle attrapa au vol un pull rouge cerise et son imperméable qu'elle posa sur ses épaules.

Il était encore tôt, il avait plu toute la nuit et le vent soufflait. Il maintenait une atmosphère presque fraîche et plutôt désagréable.

Il était convenu que Jean conduirait les deux filles à Carcassonne d'où elles s'envoleraient pour Paris.

Lorsqu'elle se retrouva devant la porte de la maison de ses parents, Sophie n'eut même pas le temps d'entrer.

Marie sortit immédiatement et serra sa fille dans ses bras en lui souhaitant un bon voyage.

La jeune femme frotta son nez dans le cou de sa mère et s'enivra avec émotion du parfum léger des fleurs d'oranger que Marie affectionnait particulièrement.

Son père apparut presque aussitôt. À son tour, il embrassa la jeune femme, s'empara de son sac de voyage et le plaça dans le coffre du break qui était garé dans la cour.

Après quelques recommandations de dernière minute, Marie agita la main jusqu'à ce que la voiture disparût derrière le grand portail de la propriété. Elle avait le cœur un peu serré de voir sa Sophinette quitter encore le nid. Mais elle se secoua en se rappelant que c'était seulement pour un mois.

À Gruissan, Juliette grimpa dans la voiture, les yeux pétillants d'excitation. Elle mesurait sa chance et remercia encore une fois Jean Latour d'avoir intercédé pour elle auprès de ses parents qui n'appréciaient que très moyennement que leur fille les quittât déjà.

Ils eussent préféré qu'elle recherchât du travail pour la saison des vendanges qui débuterait dans deux mois environ. Ils trouvaient qu'elle perdait du temps et craignaient que d'autres ne prissent des places qui auraient pu lui convenir. Ils ignoraient toujours que Juliette rêvait de Château Margaux, de Cheval Blanc ou de Haut Brion. Elle n'avait pas eu le courage de le leur annoncer.

Le trajet jusqu'à Carcassonne se déroula sans encombre, malgré la persistance de la pluie. Le dimanche à cette heure matinale, le trafic était plutôt fluide sur l'autoroute. Jean s'engagea sur la route de Montréal et arriva enfin sur le parking de l'aéroport Sud de France – Carcassonne.

Pour éviter d'être trempées, les deux jeunes femmes s'emparèrent rapidement de leurs bagages, embrassèrent chaleureusement leur accompagnateur en le remerciant.

Ce dernier retint un peu plus Sophie contre lui avant de l'embrasser une dernière fois.

Plus émue qu'elle ne le pensait par ce câlin paternel, Sophie lui promit de lui téléphoner dès leur arrivée à Cologne.

Les deux amies placèrent un masque sur leur visage et se dirigèrent en courant vers la porte de l'aéroport, sous le fronton rouge. Elles s'ébrouèrent un peu comme deux jeunes chiens, secouant leurs longs cheveux bruns ou blonds. Puis, elles rallièrent immédiatement le guichet afin de faire enregistrer leurs sacs de voyage. Comme elles disposaient d'un peu de temps avant l'embarquement, elles allèrent s'asseoir dans de confortables fauteuils gris. Juliette proposa d'aller chercher des cafés au distributeur.

Pendant ce temps, Sophie vérifia nerveusement l'heure de leur vol sur son billet d'avion, ainsi que celui qu'elles devraient prendre depuis Paris pour Cologne. Normalement, elles auraient un peu d'attente à Paris, mais l'aéroport regorgeait de boutiques. De quoi les occuper en attendant d'embarquer pour leur deuxième vol jusqu'à l'aéroport Konrad Adenauer de Cologne-Bonn.

Sophie n'était pas particulièrement emballée par les trajets en avion, mais pour ce voyage-là, elle n'avait guère eu le choix. Aucune des deux ne s'était sentie assez courageuse pour conduire plus de mille kilomètres jusqu'à Ahrweiler.

Quant à elle, Juliette était enchantée. Elle rassurait Sophie en lui parlant de « sauts de puce » et qu'elle ne se rendrait compte de rien tellement ce serait vite fait.

Il est vrai que les temps de vol pur étaient assez brefs. Hélas, les formalités pré et post embarquement rallongeaient considérablement le temps d'attente. Chacun des deux vols ne durait qu'un peu moins d'une heure trente.

Elles atterrirent à Orly vers neuf heures. Après avoir une nouvelle fois fait enregistrer leurs bagages, pour l'Allemagne cette fois-ci, elles purent se dégourdir les jambes en se promenant tranquillement de boutique en boutique. Juliette s'acheta un flacon de parfum en tarif duty-free. Sophie, quant à elle, se contenta d'acquérir un roman.

***

L'atterrissage de l'Airbus se fit tout en douceur sur l'aéroport de Cologne, au grand soulagement de Sophie, qui réalisa qu'elle pouvait enfin respirer normalement, malgré le masque. Elle avait retrouvé le plancher des vaches !

Les formalités furent assez rapides et les deux jeunes femmes purent quitter la salle de réception des bagages après avoir récupéré leurs sacs sur les tapis roulants.

Un homme aux cheveux blancs levait haut une pancarte sur laquelle était écrit « Château Latour » en lettres majuscules, face au flux de passagers franchissant les portes du terminal deux.

Juliette le repéra immédiatement et entraîna Sophie dans son sillage.

Aucune des deux amies ne maîtrisant la langue de Goethe, elles tendirent timidement la main à l'homme en se contentant d'un « bonjour » bien français.

Dieter Hofmann les accueillit avec de beaux yeux bleus souriants et des mots gentils. Le masque ne permettait pas de voir le reste du visage, mais elles perçurent immédiatement la bienveillance de l'homme. Par chance, lui parlait assez bien français.

Il leur expliqua qu'après la Seconde Guerre, la ville avait d'abord été en zone d'occupation française. Des amours, qui n'étaient désormais plus interdites, avaient pu permettre l'union entre une secrétaire française et un jeune vigneron palatin. C'étaient les parents de Dieter. Ainsi, la famille Hofmann transmettait-elle ces deux langues aux générations suivantes.

Instantanément, les amies se détendirent et purent échanger leurs premières impressions avec lui et le remercier d'avoir accepté de les prendre en stage sur son exploitation viticole.

Les trois comparses gagnèrent le parking de l'aéroport. Dieter chargea les sacs dans le coffre de sa Volkswagen blanche. Avec une vraie courtoisie à l'ancienne, il ouvrit les portières à ces dames en s'inclinant légèrement devant elles, puis attendit qu'elles fussent assises pour les refermer. Il s'installa à son tour au volant et mit le contact.

— Vous habitez loin ? s'enquit Sophie.

— Non, c'est juste à une heure, l'informa Dieter. Il y a l'*autobahn*[1] A3. C'est plus rapide pour rouler.

---

[1] Autoroute.

Les passagères s'installèrent confortablement sur les sièges de cuir noir, goûtant le plaisir de la conduite souple, de la tiédeur de l'habitacle et de la musique en sourdine. Juliette s'endormit, la tête reposant sur son poignet, contre la portière du SUV.

Tout en ne perdant pas une miette de ce qui l'entourait sur le trajet, Sophie discutait vigne et vin avec Dieter.

Immédiatement, l'homme saisit le caractère passionné de Sophie. Elle parlait de son métier avec une telle fougue qu'il était à la fois impressionné et content. Il se disait qu'il avait bien fait d'accepter de la recevoir en stage. D'après la partie du visage qu'il voyait, il jugeait qu'elle ressemblait beaucoup à sa mère, la jolie Marie.

Plus jeune, il avait eu un coup de cœur pour cette jeune Française. Hélas pour lui, elle venait d'épouser son ami Jean Latour. Il n'avait pas dévoilé ses sentiments et était reparti dans son pays natal avec le cœur en miettes. Heureusement, le temps l'avait guéri et il avait à son tour rencontré une jolie jeune fille. Le couple qu'il formait avec Ottilie était solide. Pour sa plus grande joie, elle lui avait donné deux fils qui travaillaient au domaine avec lui.

Son épouse avait toujours regretté de n'avoir pas eu de fille, aussi avait-elle accepté la demande des Latour avec grand plaisir.

La traversée d'Ahrweiler se fit lentement. Juliette dormait toujours si l'on en croyait le très léger ronflement provenant de l'arrière du véhicule.

Sophie observait avec intérêt les jolies maisons à colombage et s'amusait à tenter de déchiffrer les noms des rues. Ce monde inconnu la troublait. C'était si différent de son Aude natale.

Dieter engagea la voiture sur la *Walporzheimer strasse*. Le véhicule pénétra à l'intérieur d'une immense cour gravillonnée par un majestueux portail en fer, sur lequel figuraient deux lettres entrelacées.

— Nous sommes arrivés, leur déclara-t-il d'une voix enjouée.

Ces quelques mots prononcés gaiement et le silence soudain du moteur réveillèrent Juliette qui s'étira en écartant les bras.

Tous descendirent de la voiture et furent accueillis très gentiment par madame Hofmann, qui leur souriait de toutes ses dents.

Ottilie ne portait pas de masque et fit signe aux jeunes femmes de l'enlever. Elle ne parlait pas du tout français, Dieter traduisait avec peine, tant le flot de paroles de son épouse était ininterrompu.

Malgré la barrière de la langue, Sophie et Juliette comprirent qu'elles étaient les bienvenues et qu'Ottilie se réjouissait d'avoir des filles à la maison. Tout en continuant à discuter, la maîtresse de maison les fit entrer dans l'immense bâtisse où une bonne odeur de cuisine se répandait.

Le petit déjeuner était loin à présent et les deux amies étaient affamées.

— Vous laissez les valises là, leur proposa Dieter. Nous mangeons maintenant. Vous avez faim ? les questionna-t-il en se frottant le ventre.

— Oh oui ! Très faim, répondirent Sophie et Juliette de conserve.

Ottilie les précéda jusqu'à une spacieuse salle à manger où le couvert était dressé.

Les meubles en bois foncé, presque noir, occupaient une partie de cette grande pièce. L'autre partie était réservée aux canapés et fauteuils. L'immense tapis recouvrant le centre du salon apportait une note colorée bienvenue. Tout était imposant, la très longue table, les chaises à haut dossier, le vaisselier où trônaient des assiettes anciennes, la vieille armoire si grande, qu'on aurait pu y cacher un amant, songea Sophie en souriant.

Elle retourna chercher les présents choisis avec soin à leur intention et les leur offrit en toute simplicité : des gragnottes narbonnaises fourrées d'un praliné gianduja noisette et des bouteilles du château.

À son tour, Juliette leur remit un très beau livre sur la région de Gruissan.

Dieter déboucha une bouteille de Pinot Noir de l'Ahr, l'un des meilleurs vins d'Allemagne, leur annonça-t-il fièrement.

— *C'est deux sur trois des vignes de l'Ahr.*

Face au regard d'incompréhension de Juliette, Sophie lui proposa une explication. Elle avait étudié la région viticole avant de partir.

— Le Pinot Noir de l'Ahr représente deux tiers des vignobles de l'Ahr. C'est ça, Dieter ?

— *Ja*, c'est ça ! approuva-t-il, le pouce levé.

Ottilie posa sur la table des *bretzels,* de jolis petits pains briochés dorés, et une salade de tomates avec des œufs durs. Le repas se poursuivit avec le second plat qui semblait être du bœuf. Ottilie servit copieusement les convives. Elle ajouta des *knödels*[2] qu'elle nappa généreusement de sauce.

À la première bouchée, Sophie aima le goût un peu acide de la sauce et la tendreté de la viande.

— *Sauerbraten,* l'informa Ottilie.

— C'est du bœuf mariné avec du vin aigre, expliqua gentiment Dieter.

— Ah, c'est le vinaigre, le secret de la sauce, ronronna Juliette. J'adore !

Sophie se tourna à droite vers Ottilie et lui indiqua que son plat était excellent, ce que Dieter s'empressa de traduire pour son épouse. Cette dernière leur offrit un franc sourire en tapotant le bras de Sophie.

Le Pinot Noir s'accommodait parfaitement avec les mets. En fines connaisseuses, les deux jeunes femmes n'en finissaient plus de mâcher le vin, sous l'œil appréciateur du vigneron.

Les invitées ne purent résister à l'*appfelstrüdel*[3] maison d'Ottilie, bien qu'elles n'eussent plus faim.

Si chaque repas était dans la même veine, Sophie envisageait déjà qu'un régime alimentaire serait sans doute nécessaire lors de leur retour en France !

Une fois dans son lit, la jeune femme appela ses parents pour leur faire part de ses premières impressions, qui étaient formidables.

Il n'était que vingt-et-une heures et elle était fatiguée, mais tellement contente qu'il semblait à ses parents qu'ils « entendaient » son sourire, ce qui les soulagea. Ils lui apprirent que l'incendie de la

---

[2] Boulettes de pommes de terre.
[3] Gâteau aux pommes.

Clape avait été maîtrisé à grand peine. Les flammes avaient ravagé plus de trois cents hectares de garrigue.

Elle s'inquiéta du sort de son frère Florent. Marie la rassura en lui disant qu'il était rentré sain et sauf à la maison et qu'il dormait toujours après cette longue nuit infernale. Il avait décidé de passer ses trois jours de repos au château, ce qui réjouissait tout le monde, tant il était rare pour le jeune homme de pouvoir profiter de sa famille.

Sophie raccrocha, le sourire aux lèvres. Même éloignée d'eux, le lien qui les unissait lui semblait indéfectible.

Chapitre 3

Les deux jeunes Françaises, qui partageaient la même salle de bain, profitèrent de ces moments passés à leur toilette pour échanger leurs premières réactions. Elles étaient vraiment contentes et envisageaient ce séjour avec grand plaisir.

Elles descendirent l'escalier monumental jusqu'au rez-de-chaussée et se laissèrent guider par les bruits provenant sans doute de la cuisine. Elles y retrouvèrent le charmant couple allemand qui dressait le couvert.

Dire que le petit déjeuner fut pantagruélique n'était pas mentir. Ottilie ne cessait de disposer des assiettes pleines sur la table : du fromage, de la charcuterie, des confitures, du miel, des bretzels, des petits pains, un reste d'*appfelstrüdel,* et puis du jus de fruits, du thé, du café. Dieter leur proposa également des œufs à la coque.

Les deux jeunes femmes, peu habituées à un tel festin le matin, firent pourtant honneur aux plats et goûtèrent à un peu de tout.

— J'ai l'impression d'être aux Grandes Tablées, s'écria Sophie en riant.

Devant l'air interrogateur de ses hôtes, elle leur expliqua le concept de ce restaurant de Narbonne.

— *Ach ja*[4] ! J'ai des amis qui m'en ont parlé. Ils y sont allés un été, pendant leurs vacances à Collioure.

Juliette se leva pour aider Ottilie à débarrasser la table, pendant que Dieter et Sophie mettaient au point le programme de la journée.

— Je crois que vous pouvez visiter la ville tranquillement aujourd'hui. Nous commencerons le travail dans la vigne demain. Vous êtes d'accord ? leur proposa Dieter.

---

[4] Ah oui !

— Comme vous voulez, hésita Sophie. Si vous pensez que vous n'avez pas besoin de nous aujourd'hui...

Ottilie revint avec des prospectus rédigés en français qu'elle posa devant Sophie en souriant. Son mari expliqua aux deux jeunes filles qu'elle les avait réclamés au *touristeninformation*[5] à leur intention.

Sophie et Juliette la remercièrent chaleureusement et mirent au point un circuit avec l'aide du couple.

Elles les prévinrent qu'elles déjeuneraient au restaurant mais qu'elles seraient bien là vers dix-neuf heures pour le repas du soir.

Ottilie leur tendit les clés d'une voiture. Dieter s'empressa d'indiquer aux Françaises interdites qu'elle leur prêtait sa voiture pour le temps de leur séjour.

Devant tant de gentillesse, les deux filles se levèrent et embrassèrent chaleureusement Ottilie, qui riait presque aux éclats devant cette manifestation très française.

Elle se souvenait des marques d'affection très démonstratives de sa belle-mère. Elle avait toujours été un peu surprise par la spontanéité de Simone. Dans sa famille, les sentiments ne s'étalaient pas au grand jour, on était plus discret. Elle reconnaissait que ça manquait de pétillant, et appréciait cette fantaisie venue d'ailleurs.

Forte de leur plan, Sophie prit le volant de la petite voiture rouge.

Il faisait beau, bien sûr plus froid que chez elles, mais pas un nuage ne venait salir l'azur. Elles décidèrent de commencer par le centre-ville et se mirent rapidement à la recherche d'une place de stationnement.

Le centre d'Ahrweiler était charmant avec ses maisons colorées et leurs colombages. Une certaine animation régnait. Elles flânèrent le nez en l'air durant la matinée, s'arrêtant parfois aux devantures des échoppes, comme la chapellerie vendant des chapeaux incroyables en formes et couleurs. Avec amusement, elles en coiffèrent quelques-uns. Juliette se décida pour un large chapeau de raphia rose fuchsia.

---

[5] Syndicat d'initiative.

— On ne risque pas de te perdre, pouffa Sophie. Et puis ici, avec tout ce soleil, il te sera utile !

— T'inquiète ! je l'adore, et à Gruissan, il fera fureur, répliqua-t-elle en riant.

Vers treize heures, elles choisirent un restaurant avec une belle terrasse, abritée par des parasols multicolores. Elles commandèrent un verre de Chardonnay blanc en guise d'apéritif et étudièrent la carte que venait de leur apporter le serveur.

Hélas, tout était rédigé en allemand. Juliette sortit son téléphone portable et laborieusement, grâce au traducteur, elles choisirent une *kartoffelsalat[6]*. Elles n'avaient pas très faim et avaient décidé de s'habituer au plus vite au rythme germanique des repas.

Elles profitèrent de cette pause pour passer un petit message à leur famille respective.

***

Au domaine, Florent profitait de ses jours de repos pour décompresser complètement et donner un coup de main à Gabriel sous le grand hangar abritant les machines agricoles. Il aimait ces moments de connivence avec son aîné. Ça lui permettait d'oublier un peu le stress de son métier. Travailler dans l'urgence était son quotidien. Alors la routine sereine du domaine lui faisait un bien fou.

Le soleil était revenu et les raisins, qui n'avaient pas été abîmés par les grosses gelées d'avril, mûrissaient.

Selon son habitude, Jean emmenait avec lui son petit-fils Alexandre qui le suivait comme son ombre, le long des rangées de ceps.

Gabriel travaillait à l'entretien des deux tracteurs qui seraient utilisés lors des prochaines vendanges. Il appréciait l'aide de son petit frère et comprenait qu'il eût besoin de se changer les idées de temps à autre.

---

[6] Salade de pommes de terre.

Marie avait invité le capitaine Lartigue à les rejoindre pour le déjeuner.

C'était le meilleur ami de Florent. Ces deux-là étaient inséparables depuis qu'ils avaient débuté comme jeunes sapeurs-pompiers volontaires alors qu'ils n'avaient que seize ans. Matthieu était copilote de canadairs. Il justifiait déjà d'un brevet et de plusieurs années comme pilote professionnel d'avions. En tant que copilote, il engrangeait un grand nombre d'heures de vol, ambitionnant de devenir pilote un jour. Il était courtois et toujours de bonne humeur, ce qui ne gâtait rien.

Marie avait intercepté parfois le regard que le beau capitaine posait sur Sophie. Mais leurs relations étaient restées telles que lorsqu'ils étaient adolescents : amicales.

Elle en était là de ses réflexions quand son téléphone émit le petit tintement annonçant un message. Avec impatience, elle alluma son écran. Sa Sophinette venait d'envoyer quelques mots sur WhatsApp afin que tous les membres de la famille en profitassent pareillement. Le cœur en émoi, Marie découvrit les photographies envoyées depuis Ahrweiler.

Jean la rejoignit, tenant Alexandre par la main.

— Elles ne s'en font pas, les filles ! Tu vois, il ne fallait pas t'inquiéter, marmonna-t-il en souriant à l'adresse de son épouse. Il ne le lui avouerait pas, mais lui aussi était soulagé que tout se passât bien pour sa fille et son amie.

— Tu as raison, mais je ne peux pas m'en empêcher !

Jean entoura de son bras la taille de sa femme et ils se dirigèrent vers la terrasse, sur laquelle la table était dressée.

Camille et Matthieu les attendaient en discutant à bâtons rompus.

À l'arrivée du couple de sexagénaires, le jeune homme se leva et les embrassa affectueusement. Depuis qu'il était ami avec Florent, il lui semblait que la famille entière l'avait adopté. Au domaine, il se sentait presque comme chez lui. Il avait souvent partagé les jeux et les soirées des trois enfants Latour, lui qui n'avait plus aucune famille, à part de vagues cousins qu'il ne fréquentait pas.

Le déjeuner fut propice aux échanges sur leurs sujets de prédilection. Le vin, la vigne, le feu.

Florent montra à Matthieu les photos envoyées par Sophie.

Il eut un pincement au cœur, regrettant qu'elle ne l'eût pas inclus dans cet envoi... Il n'avait pas réussi à prendre son courage à deux mains et à ouvrir son cœur à Sophie. Il était amoureux d'elle depuis qu'il l'avait vue pour la première fois. Adolescent, il était trop timide pour le lui dire. Par la suite, l'ambiance de franche camaraderie et l'éloignement de la jeune fille pour ses études l'avaient empêché de se dévoiler.

Alors qu'il s'était enfin décidé à lui avouer ses sentiments, voilà que la belle venait de s'envoler pour l'Allemagne. Il était patient et se résignait à attendre son retour. Il attendait depuis si longtemps déjà...

***

Sous le soleil pâle, Sophie conduisit la voiture d'Ottilie jusqu'aux ruines du monastère de Marienthal, dont l'église baroque avait survécu essentiellement en tant que ruine. Après la Première Guerre mondiale, les bâtiments du domaine viticole avaient été rattachés aux vestiges historiques dans le style des bâtiments d'enceinte monastique.

— Cela a permis de créer une cour intérieure qui est maintenant utilisée à des fins gastronomiques, lut Juliette sur le dépliant fourni précédemment par Ottilie. Parmi les bâtiments historiques du XIIe siècle, des voûtes en berceau abritent aujourd'hui une cave à vin, poursuivit-elle.

— C'est incroyable ! s'extasia Sophie. On se croirait un peu à l'abbaye en face de Bizanet.

— Les ruines en moins !

— Mais cette vue est incroyable. Regarde ! Des vignes à perte de vue ! Tu as vu comme les ruines les magnifient ?

Après le printemps relativement frais et humide, les températures estivales des dernières semaines avaient stimulé les vignes.

Effectivement, grâce aux conditions météorologiques optimales, les vignerons avaient vécu des moments excitants à l'époque de la floraison, car celle-ci préfigurait des vendanges à venir.

Au cours de ses recherches sur la région, Sophie avait appris que la culture du vin en Allemagne avait été inscrite en mars dernier au registre national des héritages culturels immatériels. Cette culture façonnait le rythme de vie d'un grand nombre de personnes, contribuant ainsi au dynamisme de l'identité locale. C'était un petit monde au nord de la Rhénanie-Palatinat, dans lequel les producteurs se connaissaient tous. Le long de l'Ahr, le vin rouge était roi, notamment le Pinot Noir servi la veille par Dieter.

Lorsque la voiture rouge fut à nouveau garée dans la cour des Hofmann, les deux jeunes femmes pénétrèrent dans la maison et y retrouvèrent Ottilie.

— *Bon voyage ? Ja ?*

Devant l'effort méritoire de leur hôtesse pour les accueillir dans la langue de Molière, Juliette rechercha rapidement une réponse dans le manuel de conversation franco-allemande qu'elles avaient acheté le matin en ville.

— *Ja, danke schon*[7] ! ânonna-t-elle péniblement.

Face à Ottilie qui semblait ne pas avoir compris les mots prononcés, elle pointa la phrase de l'index.

Sophie éclata d'un rire joyeux, se moquant de l'accent de Juliette.

— *Ach ja, der aksent !*[8]

Ottilie riait franchement avec les deux jeunes femmes. Les éclats de rire guidèrent Dieter vers le trio.

Tous les quatre se dirigèrent vers la grande salle de réception où deux couverts supplémentaires avaient été ajoutés. Dieter leur traduisit que leur fils Otto et son épouse Léonore partageraient leur *abendessen*[9] afin de rencontrer les deux amies françaises.

---

[7] Oui, merci beaucoup !
[8] Ah oui, l'accent !
[9] Le repas du soir pris très tôt, entre 18 et 19 heures.

Justement, la porte d'entrée claqua et le couple apparut sur le seuil de la salle à manger.

Les présentations furent faciles : Otto et Léonore parlaient parfaitement français. Les conversations étaient fluides et agréables, parfois teintées d'amusement au vu du décalage quand il fallait traduire les paroles de la maîtresse de maison.

Encore une fois, Ottilie avait mis les petits plats dans les grands. Pour cette soirée animée, elle avait cuisiné une belle choucroute avec les différentes saucisses de la région.

Sophie fut surprise par le goût de la moutarde auquel elle n'était pas habituée. Elle était un peu sucrée et parfumée aux condiments.

Le plat, extrêmement copieux, circulait entre les convives. C'était un régal et Juliette tint à l'exprimer en allemand. Ce qui ne manqua pas de déclencher de nouveaux éclats de rire.

La soirée se prolongea agréablement dans les larges fauteuils en velours rouge fleuri. Léonore prit de nombreuses photos qu'elle partagea aussitôt avec les membres de la famille et les deux filles.

En voulant les regarder sur son portable, Sophie se rendit compte qu'un SMS de Matthieu Lartigue était arrivé dans la journée. Elle n'avait pas prêté attention à la notification tant elle était en admiration devant la beauté des paysages.

Elle haussa les sourcils, se demandant si quelque chose était arrivé à son frère. Avec un brin de stress, elle lut le court message, puis le relut une deuxième fois, avec surprise. Elle pensa que les mots ne lui étaient pas adressés, que Matthieu avait fait une erreur de destinataire et lui envoya une réponse.

— Tu t'es trompé de destinataire !

Le bip l'avertit qu'une réponse était arrivée.

— Non ! C'est bien à toi que je m'adresse.

Désarçonnée par cette réponse à laquelle elle ne s'attendait pas, elle ne répondit pas immédiatement, ne sachant quelle attitude adopter.

***

Depuis son bureau, où il était encore de garde, Matthieu triturait nerveusement son téléphone. Aucune réaction n'arrivait. Sa patience était mise à rude épreuve. Et si elle ne répondait pas ? Il craignait d'avoir commis une énorme erreur avec Sophie. Il savait qu'il aurait dû attendre son retour, mais il n'avait pas su résister, alors qu'il se l'était pourtant promis.

Il en était là de ses interrogations, quand la sirène retentit. Il partit en trombe jusqu'au matériel et oublia pour un temps son émoi et son impatience.

***

À l'abri de sa chambre, Sophie relisait pour la énième fois le message de Matthieu : « Tu me manques… ». Elle ne savait pas trop que faire de ces paroles ni comment répondre. Intérieurement, elle s'avoua qu'elle était troublée. Elle n'avait jamais envisagé le copain de son frère comme un amoureux potentiel, même si elle reconnaissait qu'il était très attirant. Elle l'avait toujours considéré comme un frère de plus. Elle décida d'attendre avant de répondre, se donnant le temps de réfléchir un peu plus à cette nouveauté.

En revanche, elle appela ses parents. Marie la rassura sur la vie au domaine. Tout allait bien.

— Au fait, Matthieu a demandé de tes nouvelles, informa-t-elle sa fille, sans malice aucune.

Le cœur de Sophie rata un battement. Décidément…

Juste avant de se coucher, elle se décida enfin à répondre au SMS de Matthieu par un « C'est gentil, merci ! », qui manquait singulièrement d'émotion à son avis. Mais elle avait besoin de temps pour envisager une relation avec lui sous un angle tout nouveau pour elle. La pensée devait suivre son chemin. Honnêtement, l'idée ne lui déplaisait pas.

Chapitre 4

16 juillet 2021

Depuis plus d'une dizaine de jours, Dieter entraînait Sophie et Juliette dans son sillage, au milieu des vignes. Il était si passionné qu'il n'hésitait pas à partager encore et encore toutes ses connaissances, qui semblaient infinies.

Elles ne furent guère surprises d'apprendre qu'il intervenait de temps en temps à l'école d'agronomie, d'enseignement et d'expérimentation d'Ahrweiler pour la viniculture. Il possédait un réel talent de pédagogue et savait intéresser son auditoire.

Elles savaient dorénavant que quatre-vingt-dix pour cent des vignerons de l'Ahr appartenaient à une coopérative, et que, bien que la viticulture allemande soit dominée par les blancs, les vins de l'Ahr étaient principalement rouges ; de plus, alors que la région était de petite taille, elle était la plus grande zone de production de vins rouges.

Sophie s'interrogeait beaucoup sur le climat qui ne semblait guère favorable à la vigne, le comparant volontiers au climat de son pays cathare.

Dieter lui expliqua que la culture avait pu se maintenir sur la rive gauche qui était exposée au sud et protégée par le massif de l'Eifel, limitant ainsi les précipitations et permettant un ensoleillement plus important.

Grâce aux Hofmann qui leur avaient présenté bon nombre de leurs collègues et néanmoins amis, elles avaient goûté, grumé, mâché de nombreux vins, issus, pour la plupart, de fûts en bois sombre. Des rouges, bien sûr, mais aussi des blancs, des rosés, tels le *Spätburgunder* ou des effervescents comme le *Riesling*. Elles étaient épatées, littéralement ! Jamais, elles n'auraient envisagé une telle richesse organoleptique.

Le séjour se déroulait très bien. Leurs hôtes étaient adorables et se pliaient en quatre pour les satisfaire.

Elles avaient enfin fait la connaissance de Klaus, le deuxième fils de la maison, et de son amie Minna qui avait le même âge qu'elles.

Pour le plus grand regret des parents Hofmann, aucun des deux couples n'avait d'enfant. Dieter en avait touché deux mots à ses visiteuses, avouant qu'il enviait énormément Jean et Marie Latour qui profitaient pleinement de leurs deux petits-enfants.

***

Matthieu n'avait pas osé adresser un autre message à Sophie après avoir reçu cette réponse si laconique de sa part. Il en était fort malheureux et rongeait son frein. Encore quinze jours et elle serait là. Il pourrait lui ouvrir son cœur en grand, même s'il redoutait qu'elle ne partageât pas ses sentiments.

Au SDIS, les alertes se suivaient et, hélas, se ressemblaient. Les largages des canadairs étaient souvent requis en cette saison particulièrement sèche.

Florent et lui se détendaient en pratiquant la plongée sous-marine. Dès qu'ils avaient un jour de répit, ils se retrouvaient à Narbonne-Plage dans leur club.

Matthieu n'avait pas parlé de ses sentiments à son ami. Il préférait garder cet amour secret, craignant que leurs relations futures n'en pâtissent si, pour son plus grand malheur, Sophie lui adressait une fin de non-recevoir.

***

Depuis plusieurs heures maintenant, il pleuvait à verse sans interruption. Sophie, Juliette et Dieter rentrèrent se mettre à l'abri, après leurs travaux matinaux dans la vigne. Ils étaient trempés malgré les cirés et les bottes. Ils se secouèrent pour chasser, tout à la fois, les gouttelettes qui brillaient sur leurs cheveux et la fraîcheur qui les avait envahis.

Dieter décida qu'ils ne ressortiraient pas tant que la météo serait aussi défavorable. Le travail attendrait demain ! En attendant, il était l'heure de passer à table. Pour l'occasion, il déboucha une bonne bouteille de *Dornfelder* rouge.

Ottilie essaya d'apaiser son mari, dont elle savait bien qu'il s'inquiétait toujours un peu quand il ne maîtrisait pas les intempéries. Elle avait cuisiné son plat préféré, un *Moselhecht*[10] avec quelques pommes de terre.

Quant aux deux filles, la maîtresse de maison était dithyrambique à leur sujet. Elles étaient réellement faciles à vivre, toujours de bonne humeur, elles aimaient tout ce qu'elle cuisinait. Elles l'aidaient de leur mieux après le travail à la vigne où elles excellaient d'après Dieter. Incontestablement, elles avaient apporté un vent de jeunesse et de fraîcheur dans leur maison. Ottilie les verrait partir à regret. En son for intérieur, elle le reconnaissait bien volontiers. Le manque de jeunesse à la maison se faisait cruellement sentir. Elle le percevait chaque jour un peu plus.

Dans l'intimité de sa chambre, Sophie relisait chaque jour le message de Matthieu. Elle ne l'avait pas effacé. Même si elle se demandait pourquoi, elle était assez honnête pour reconnaître qu'il ne s'agissait pas d'un acte manqué. Pourtant, petit à petit, cette découverte se frayait un passage jusqu'à son cœur. Elle pensait à tout ce qu'ils avaient partagé, à tout ce qu'ils avaient en commun, à tout ce qui les liait. Elle avait plusieurs fois eu envie de lui écrire, mais avait renoncé, ne sachant pas comment s'y prendre, tant la surprise avait été énorme.

---

[10] Brochet de la Moselle avec une sauce au fromage crémeux.

Pourtant, ce matin, elle avait pris son courage à deux mains et lui avait adressé ces quelques mots pudiques : « Je crois bien que tu me manques aussi… ». Puis elle avait vite appuyé sur le bouton d'envoi, craignant d'effacer le SMS une nouvelle fois si elle y réfléchissait encore.

Les informations locales diffusées par *SWR Fernsehen*, la chaîne télévisuelle de la région, étaient alarmantes. Dieter était scotché à l'écran. Il faisait de nombreux allers-retours entre la baie vitrée donnant sur le jardin et la porte-fenêtre en face qui permettait l'accès à la cour.

Les flaques s'élargissaient de minute en minute. Au-delà de la grande cour, le portail était resté ouvert et on voyait l'eau ruisseler dans les rues. Elle montait et personne n'y pouvait rien.

En milieu d'après-midi, alors qu'une ambiance pesante planait, Dieter, Sophie et Juliette partirent pour les vignes voir si le personnel était bien en sécurité et si les engins agricoles avaient été rentrés à l'abri. Dieter aurait largement préféré partir seul, mais les deux filles insistèrent pour l'accompagner et refusèrent de céder.

En ces instants angoissants, Sophie réalisa que le fatalisme n'était pas une vue de l'esprit, mais bel et bien une réalité. Que faire contre les éléments déchaînés ? Personne n'ignorait que des dégâts seraient à déplorer dans les vignes où la floraison était achevée depuis peu, ce qui augurerait une récolte calamiteuse, voire inexistante.

Le maître de chai, resté sur place, informa son patron qu'il avait renvoyé chez eux tous les ouvriers depuis déjà une bonne heure parce qu'il était inquiet de la tournure que prenaient les évènements. Il rentrait le matériel et les engins agricoles, un à un, dans le bâtiment. Il en restait deux.

Dieter cria à son employé qu'il était temps pour lui aussi de rentrer chez lui et que les filles l'aideraient à rentrer le matériel viticole restant.

Juliette se mit aussitôt à ranger et empiler le matériel pour faire de la place dans le hangar, puis elle déplaça le ripper de vigne.

Dieter partit en courant récupérer la grosse machine à vendanger pour la conduire dans le hangar, suivi par Sophie à qui il avait confié les clés du tracteur enjambeur.

Malgré l'eau et la boue qui ruisselaient, il réussit tant bien que mal à manœuvrer l'énorme engin pour venir le garer. Il s'assura qu'il y avait suffisamment de place pour celui que Sophie devait conduire. Il vérifia que le frein automatique était bien enclenché avant de descendre. Il se retourna pour voir si la jeune femme arrivait avec le tracteur bleu.

Elle n'était pas encore là. Il traversa rapidement le hangar, pensant qu'elle n'avait peut-être pas pu démarrer ou que le moteur était noyé. Il voulut sortir du bâtiment, mais fut stoppé net par une sorte de vague de boue qui envahissait peu à peu l'espace.

Il cria, hurla « Sophie » jusqu'à s'en casser les cordes vocales, tant il avait du mal à couvrir le vacarme produit conjointement par la pluie qui tombait en trombe et le roulement de l'eau boueuse qui inondait le sol, emportant tout sur son passage.

Depuis la porte, il entendait les hurlements de Juliette qui l'adjurait de se mettre à l'abri, avant d'être emporté par les flots.

***

Le cœur battant, Matthieu lisait et relisait le SMS de Sophie, n'osant y croire. Il lui semblait que sa poitrine allait exploser. Pour un peu, il se serait mis à danser ! Rien n'était sûr, mais au moins, avait-il un espoir. À son tour, Sophie lui avait tendu une main, et il était fou de joie. Il se surprit à imaginer son retour et ce qu'il lui dirait. Il ne sut résister au plaisir de lui envoyer un message, tant il était heureux. Il resta suffisamment raisonnable dans son écrit. Il ne tenait pas à ce que son amour trop fort effraie sa belle.

Blottis l'un contre l'autre dans le large canapé d'angle du salon, Gabriel et Camille regardaient, avec effarement, les images qui défilaient sur le petit écran.

Les commentateurs tenaient des discours affolants. Une partie de l'Europe était frappée par des intempéries, dont l'Allemagne était le pays le plus durement touché, particulièrement la Rhénanie et la Westphalie. Un certain nombre de morts était déjà à déplorer. Plusieurs maisons avaient été englouties par les flots.

— J'appelle Sophie, déclara Gabriel d'une voix tremblante.

L'appel bascula directement sur la messagerie. Malgré plusieurs essais, aucune communication n'aboutit.

— Appelle les Hofmann, lui suggéra Camille.

— Je n'ai pas leur numéro. Il faut que je demande à mon père.

Malgré l'heure un peu tardive, il traversa la cour du château et pénétra chez ses parents, qui n'étaient pas encore couchés. Il craignait de les affoler pour rien, mais ne pouvait pas leur laisser méconnaître cette catastrophe.

Il espérait, au plus profond de son cœur, que rien n'était arrivé à Sophie, ni à Juliette, ni même aux Hofmann qu'il connaissait un peu.

Marie accueillit son fils avec inquiétude. Il n'était pas dans les habitudes de Gabriel de débarquer ainsi à cette heure-là.

— Mon chéri, quelqu'un est malade ?

Gabriel entendait l'appréhension dans sa voix. Il la prit dans ses bras et lui dit que Camille et les enfants allaient bien.

— C'est autre chose…

Il hésitait, ne sachant comment lui annoncer que la région dans laquelle sa Sophie chérie se trouvait venait d'être dévastée par des inondations.

Jean sentit immédiatement que quelque chose ne tournait pas rond. L'attitude gênée de son fils, son hésitation…

— Gabriel, parle ! Qu'y a-t-il ? s'exclama-t-il d'une voix rauque.

Ne pouvant les tenir dans l'ignorance plus longtemps, Gabriel bafouilla des explications.

Marie et Jean le prièrent de reprendre depuis le début, calmement, tant ses explications étaient incohérentes.

Après une grande inspiration pour se calmer, le jeune homme reprit plus lentement :

— Il y a des inondations en Allemagne, dans la région des Hofmann. Ça a l'air assez sérieux… Je n'arrive pas à joindre Sophie sur son portable. Il faudrait l'appeler directement chez les Hofmann, mais je n'ai pas leur numéro.

Volontairement, il ne s'était pas étendu sur l'importance des dégâts tant matériels qu'humains.

Marie tremblait de la tête aux pieds. Son fils la guida jusqu'à une chaise, redoutant qu'elle ne s'effondrât sur le carrelage.

Pendant ce temps, Jean prit les choses en main. Il rechercha sur son portable le numéro de Dieter et le composa, les mains tremblantes. Le téléphone sonna longuement dans le vide. Il n'obtint aucune réponse, malgré plusieurs tentatives.

Sous le choc, ils se dirigèrent vers le salon pour allumer la télévision. Jean rechercha la chaîne d'informations en continu et s'assit auprès de sa femme qui ne cessait de se tordre les doigts en gémissant.

Gabriel entoura les épaules de sa mère d'un plaid en laine polaire. Il lui semblait que ses tremblements ne s'arrêteraient jamais.

La situation était grave là-bas. L'alerte aux crues avait été déclenchée dans la soirée. Les journalistes interviewaient des Allemands hagards qui avaient dû fuir leurs foyers en pleine nuit pour ne pas être emportés. Quelques images commençaient à tourner en boucle.

Chapitre 5

Après une nuit cauchemardesque pendant laquelle elles avaient versé toutes les larmes de leur corps, Juliette et Ottilie s'étaient enfin assoupies sur le canapé du salon.

Dieter, lui, faisait les cent pas, ne cessant de se reprocher d'avoir laissé courir à Sophie un tel danger.

Dès sa disparition, il avait aussitôt voulu prévenir les secours. Mais Juliette et lui s'étaient retrouvés bloqués sous le hangar, obligés de grimper rapidement à l'échelle jusqu'au plancher supérieur. Les communications ne passaient pas. Pendant de longues heures, ils avaient vécu dans l'angoisse que le hangar ne résiste pas et que les flots l'emportent, et eux avec.

De là où ils se tenaient, ils n'avaient aucune vision de ce qui se passait dehors. Seul le vacarme leur laissait craindre l'imminence d'une catastrophe. Réduits à l'impuissance, ils n'avaient d'autre choix que d'attendre.

Soudain, ils entendirent une alarme proche de l'endroit où ils s'abritaient. Juliette se mit alors à hurler de toutes ses forces, bientôt accompagnée par la voix plus puissante de Dieter.

À leur immense soulagement, ils virent apparaître un canot pneumatique sur lequel se tenaient deux sapeurs-pompiers, qui levèrent aussitôt la tête vers les deux rescapés.

D'émotion, Juliette éclata en sanglots. Un des deux hommes la soutint pour l'aider à descendre de l'échelle et la fit asseoir dans l'embarcation, puis aida Dieter à faire de même.

Lorsqu'ils furent en sécurité sur le canot, Dieter leur expliqua immédiatement que Sophie avait disparu. Ce faisant, son regard balayait ce qui avait été son vignoble. Tout était submergé. Le tracteur que devait rentrer Sophie était renversé et avait manifestement été bloqué par la rangée de bouleaux qui longeait l'Ahr, une cinquantaine de mètres plus loin.

Des centaines de soldats et des milliers de secouristes avaient été déployés pour venir en aide aux sinistrés, tandis que des blindés entreprenaient de déblayer les routes. En rotations incessantes, des hélicoptères évacuaient les habitants réfugiés sur les toits de leurs maisons.

Ahrweiler était défigurée. Elle ressemblait à une île apocalyptique, cernée par la boue. Un pont avait été emporté par une vague géante. Tout était noyé. La jolie petite ville si pimpante n'était plus. Seul demeurait un amas de boue, de cailloux, de voitures explosées, de troncs d'arbres, de murs arrachés par la violence des flots.

Les trombes d'eau avaient pareillement fracassé des barriques, des bouteilles de vin et de la machinerie, détruisant ainsi des domaines entiers. Hélas, autant de moyens de subsistance avaient disparu eux aussi.

Au matin, la chaîne SWR faisait état d'une soixantaine de morts et de nombreux blessés. Dieter pleurait silencieusement devant les photos aériennes parues en une du quotidien *die Welt*. Les images tournaient en boucle dans sa tête. Il revivait sans cesse les moments où il s'était époumoné en vain, l'instant où il avait perdu Sophie. Il imaginait le pire et c'était si violent que son cœur s'emballait.

Il essaya une nouvelle fois d'appeler les Latour pour les prévenir. Les communications n'étaient toujours pas rétablies. Il avait beau chercher comment les avertir, il ne trouvait aucune solution. Internet ne fonctionnait pas non plus pour le moment. Il mesurait sans peine l'angoisse dans laquelle devaient vivre Jean et Marie, prévenus sans doute par les informations internationales.

La chancelière Merkel était actuellement en déplacement à Washington, donc il supposait, à juste titre, que le monde entier ne parlait que de ce cataclysme.

Juliette se réveilla la première, la tête bourdonnante, le cou raidi par la mauvaise position prise pendant son sommeil sur le canapé. Immédiatement, les affreuses images lui sautèrent au visage. Elle gémit et se retint de ne pas pleurer. Elle ne devait pas désespérer. Sophie reviendrait et elles riraient ensemble de cette horrible aventure. Elle se leva délicatement pour ne pas réveiller Ottilie. La pauvre avait passé la nuit à sangloter. Le retour à la réalité n'apportait pas de soulagement, au contraire. Le même vide intolérable, la même peur barbare l'étreignait. Comme elle avait envie d'être auprès de ses parents en ce moment ! Elle qui ne pensait qu'à les quitter pour travailler à Bordeaux… Comme elle regrettait leur absence aujourd'hui ! Elle n'avait pas pu les prévenir qu'elle allait bien et se doutait qu'ils étaient probablement très inquiets.

En désespoir de cause, Dieter se rendit à l'*amtsgericht Bad Neuenahr*[11] qui centralisait les demandes concernant les disparus.

Les obstacles accumulés sur les chaussées étaient rapidement enlevés par l'armée, les employés municipaux et bon nombre de volontaires.

Après une longue attente, avec en sourdine une musique d'ambiance de Beethoven, la réponse que lui fit l'employé, fut la même que celle faite à la personne qui l'avait précédé au guichet. Hélas, les secours étaient débordés et ne pouvaient rien lui promettre. Le nombre des disparus augmentait d'heure en heure. On ne leur avait pas signalé la découverte d'une jeune Française blonde aux yeux verts. L'agent lui conseilla de contacter les hôpitaux avant de s'occuper de la personne suivante, en s'excusant.

***

---

[11] Tribunal de police.

Au domaine Latour, la nuit n'avait pas été meilleure. Sans nouvelle de Sophie depuis la veille, personne n'avait pu fermer l'œil. Tout le monde vivait dans le doute et la frayeur. L'attente sans pouvoir rien faire était épouvantable.

Au matin, Gabriel téléphona à Florent pour le prévenir.

Malgré le stress causé par l'angoisse de son frère qu'il perçut aussitôt et les informations qui n'étaient guère optimistes, Florent se reprit très vite et promit de se renseigner de son côté.

Les services de secours se rendaient souvent service de pays à pays. Il espérait obtenir des informations plus précises en faisant jouer ses relations.

Jean envisagea de se rendre immédiatement sur place. Son fils aîné réussit, non sans mal, à lui faire entendre raison. Il ne servait à rien de partir sans savoir ce qui était arrivé.

— Si ça se trouve, elle va bien. Les communications sont coupées pour le moment, mais ils vont les rétablir d'ici peu. Tu aviseras à ce moment-là.

Camille emmena Victoire et Alexandre chez ses parents à Béziers, jugeant que sa belle-mère n'était certainement pas en état de s'en occuper. Elle souhaitait également protéger ses enfants d'un trop plein d'angoisse. Elle partit tôt pour être de retour au plus vite. Le travail n'attendait pas, même aujourd'hui.

Les gîtes étaient tous réservés et les tâches ne manquaient pas.

Elle se doutait que Marie ne pourrait pas l'aider, tant elle était anxieuse.

À force de mots gentils et de caresses, Gabriel convainquit sa mère de prendre un petit calmant et d'aller se reposer. Il la conduisit jusqu'à sa chambre au papier peint fleuri. Quand il regagna le salon, il trouva que son père avait le teint gris, les yeux creusés. Il lui sembla qu'il avait vieilli de dix ans en quelques heures. Avec douceur, il entoura son épaule, le serra un instant contre lui, puis lui proposa de préparer du café.

Les deux hommes allèrent s'asseoir à la table de la cuisine. Un silence de plomb s'installa, seulement rompu par le tic-tac de la vieille pendule.

Comme à Ahrweiler, la télévision était allumée et les images défilaient, toutes plus abominables les unes que les autres. Le nombre des victimes s'accroissait. Cette tragédie était classée pire catastrophe naturelle pour le pays depuis un demi-siècle. La chaîne ZDF déplorait que la souffrance ne fît qu'augmenter.

L'attente infernale continuait. À intervalle régulier, Gabriel appelait l'Allemagne.

Florent arriva peu avant midi, escorté de Matthieu. Les deux hommes franchirent le seuil en coup de vent. Ils étaient toujours en uniforme. Ils achevaient leur garde et étaient partis à toute vitesse, ne prenant pas le temps de se changer.

Jean alla vérifier que Marie dormait toujours. Il prit une douche, se changea et eut le sentiment fugace de se sentir mieux.

À la cuisine, les trois jeunes hommes avaient dressé le couvert. Camille apporta un poulet rôti tout chaud et un sachet de chips.

Personne n'avait particulièrement faim, mais il aurait été absurde de se laisser aller. Si jamais Sophie avait besoin d'aide, ils devaient être prêts, y compris à partir tout de suite, le cas échéant.

Le capitaine Lartigue attendait, le cœur battant, que son vieil ami de l'état-major parisien, copilote comme lui, lui donnât des nouvelles. Edgar lui avait promis de se renseigner et de le rappeler aussitôt.

Comment survivrait-il s'il était arrivé quelque chose à Sophie ? s'interrogeait Matthieu. Leur histoire, à peine commencée, était d'ores et déjà menacée. Sans rien dire à personne, il avait vérifié le nombre de jours de congés qu'il lui restait à prendre et envisageait très sérieusement de se rendre sur place pour retrouver sa tendre Sophie. Il remuerait ciel et terre s'il le fallait, il se le promettait. Leur amour naissant ne pouvait pas se terminer avant d'avoir commencé. Pour lui, c'était inenvisageable !

***

Otto et Klaus avaient accouru dès qu'ils avaient pu à nouveau circuler. Leurs logements respectifs n'avaient pas souffert, ce qui représentait un certain soulagement, mais c'était une peccadille au vu du drame qui se jouait sous leurs yeux incrédules.

Sans avoir pu s'y rendre, Dieter préjugeait, que hélas, son vignoble était perdu, mettant ainsi son exploitation en péril. Évidemment, cela le tracassait. Mais plus que tout, ce qui le consumait de l'intérieur, c'était la disparition de Sophie. Il priait silencieusement pour que l'on eût rapidement de ses nouvelles.

Le réseau de téléphonie n'était toujours pas rétabli et c'était un facteur aggravant. Cela empêchait toutes les familles angoissées de contacter leurs proches.

Il n'avait pas encore pu prévenir les Latour bien sûr, ni même sa famille ou celle d'Ottilie. Grâce à Dieu, ses enfants allaient bien.

Heureusement, la pluie avait cessé depuis le milieu de la matinée. Hélas ! la décrue était très lente. Les sols étaient tellement saturés que l'eau ne s'évacuait qu'interminablement.

Un peu revigorés par le café et par le fait d'être ensemble et vivants, les trois hommes décidèrent de partir à la recherche de Sophie. Peut-être aurait-elle été retrouvée par quelqu'un ?

La route menant au vignoble où elle avait disparu était toujours impraticable. Ne sachant par où commencer, Dieter décida de se rendre dans les hôpitaux et autres cliniques où les blessés affluaient maintenant par centaines.

Ils n'avaient pas de photo de la jeune Française, ce qui risquait de compliquer leur tâche, mais ils s'accrochèrent à l'espoir de la retrouver, comme à une bouée de sauvetage.

***

Quand le téléphone portable de Matthieu sonna, il faillit l'échapper sur le carrelage, tant il était sous pression.

Edgar ne lui apprit rien de spécial si ce n'est que les recherches étaient toujours en cours et que les secours se relayaient nuit et jour pour retrouver tous les disparus. Il demanda à Matthieu de lui envoyer une photo de Sophie, savait-on jamais !

— J'aimerais aider aux recherches. Crois-tu que ce soit possible ? lui demanda Matthieu, la voix chevrotante.

— Je vais me renseigner, je pense que c'est possible. Je te rappelle pour te dire. C'est ta petite amie ?

Voilà une question à laquelle Matthieu ne s'attendait pas et qui le laissa pantois. Sophie était-elle sa petite amie ? Que répondre ? Edgar comprendrait-il l'espoir qui clignotait dans son cœur depuis le message de Sophie ? Sans réfléchir davantage, il répondit d'une voix plus ferme :

— Je l'aime !

— Je comprends… Courage, Matthieu ! Je te rappelle.

Florent avait saisi quelques bribes de la conversation et ne fut guère surpris par ce qu'il crut comprendre. Il échangea un clin d'œil avec son ami et lui tapa dans le dos.

Matthieu lui fut reconnaissant de ne pas épiloguer, de ne pas poser de questions. La discrétion était un des traits de caractère qu'il appréciait chez Florent. Ainsi donc, son ami n'était pas surpris qu'il fût amoureux de sa petite sœur.

N'y avait-il que Sophie pour ne s'être jamais rendu compte qu'il était épris d'elle ?

***

Juliette aurait aimé participer aux recherches avec les trois hommes. Cependant, Dieter l'avait priée avec insistance de rester auprès de son épouse, qui venait de se réveiller.

Elle resta un moment près d'Ottilie en lui tenant la main. La conversation était impossible, les deux femmes ne parlant pas la même langue. Mais le langage corporel, les regards échangés leur apportaient un certain apaisement. Leurs deux mains entrecroisées se caressaient mutuellement.

Ottilie se leva la première, avec peine. Elle avait mal partout. Ses yeux étaient bouffis d'avoir tant pleuré. Elle se retourna légèrement vers Juliette et grimaça un sourire tremblant.

Juliette lui tendit à nouveau la main, à laquelle Ottilie s'accrocha avec une force étonnante.

Main dans la main, les deux femmes se rendirent à la cuisine.

Juliette ressentait le besoin de boire un bon café, comme si le breuvage noir permettait d'occulter la peur, d'effacer la réalité.

Pendant que la cafetière fonctionnait dans un gargouillis étouffé, la jeune Audoise tenta un nouvel appel à Sophie, puis à ses parents. Tentatives infructueuses qui minaient un peu plus son moral chancelant. À nouveau, elle sentit les larmes perler à ses paupières. Elle leva la tête et se força à écarquiller les yeux pour les chasser. Elle se voulait forte, d'abord pour Ottilie et surtout pour ne pas s'effondrer encore. Sophie avait besoin d'aide, où qu'elle soit. Du moins l'espérait-elle !

Chapitre 6

À Ahrweiler, les recherches s'organisaient de mieux en mieux. Les quartiers dépendaient d'équipes de sauveteurs répertoriées. Les transmissions hasardeuses du début avaient laissé place à une organisation toute germanique, malgré l'absence générale de réseau téléphonique.

Les techniciens promettaient un rétablissement des communications dans la journée.

Les trois hommes Hofmann continuaient leurs recherches, décrivant de leur mieux Sophie qui, hélas, demeurait introuvable. Eux aussi s'étaient réparti la tâche. Chacun quadrillait une partie de la ville.

Juliette avait tellement insisté pour les accompagner, que Dieter avait fini par céder. Des heures durant, ils arpentaient la ville sinistrée. Parfois découragés, ils se remotivaient mutuellement et reprenaient inlassablement leur quête.

Afin qu'Ottilie ne restât pas seule à broyer du noir à propos de cette disparition traumatisante, Léonore et Mina, ses deux belles-filles, restaient avec elle durant ces interminables heures d'attente.

***

Quand il le rappela, Edgar convainquit Matthieu de patienter encore un peu, le temps que les communications fussent rétablies entre les deux pays, ce qui semblait ne plus être qu'une question d'heures.

Le jeune capitaine Lartigue se faisait un sang d'encre et envoyait des SMS à intervalle régulier à Sophie, dans l'espoir un peu fou et sans doute irréfléchi qu'elle répondît bientôt.

Les Latour vivaient cette hallucinante attente, suspendus qui au téléphone, qui à la télévision. Cependant, le travail au domaine ne manquait pas, ce qui leur permettait parfois, pour un moment, de penser à autre chose.

Camille et Gabriel croulaient littéralement sous le travail. La saison estivale battait son plein. Hélas, Jean et Marie ne leur étaient pas d'un grand secours, tant ils étaient tourmentés. Bien qu'ils gardassent pour eux leurs monstrueuses pensées, tout le monde voyait bien qu'ils dépérissaient à petit feu.

Victoire et Alexandre sentaient que les grands leur cachaient quelque chose, mais n'obtenaient que des réponses évasives à leurs questions d'enfants.

Florent avait regagné sa caserne et faisait de son mieux pour se renseigner entre deux interventions. Il ne lâchait pas l'affaire, même si parfois l'impuissance le submergeait. Il avait compris qu'il devait aussi se montrer fort pour maintenir Matthieu sur les rails. Il craignait de voir son ami s'écrouler, tant l'incertitude et la peur le rongeaient.

***

Vers vingt heures, les communications furent enfin rétablies. Juliette se rua sur son smartphone pour appeler ses parents, qu'elle entendit pleurer pour la première fois de sa vie, ce qui lui serra le cœur.

En moins de temps qu'il n'en faut pour le dire, les Constant lui réservèrent un vol de retour. Ils refusaient de transiger et exigeaient que leur fille rentrât au plus tôt.

Bien qu'elle sût qu'il ne servirait pas à grand-chose qu'elle restât à Ahrweiler, Juliette rechignait à quitter l'Allemagne et à laisser derrière elle son amie Sophie, qu'elle refusait de croire à jamais disparue. Elle croisait les doigts et se vouait à tous les saints pour que l'on retrouvât la jeune Audoise vivante.

Otto accepta de la conduire à l'aéroport le lendemain matin.

Juliette alla, tête basse, préparer sa valise. Dans son esprit, son départ sonnait comme une fuite. Mais elle aspirait à retrouver ses parents et son cadre familier pour tenter d'avancer et de se reconstruire.

Pendant ce temps, Dieter se chargea de prévenir les Latour. Sa voix vacilla souvent, mais il réussit à conserver un semblant de calme. Il expliqua longuement aux Français les recherches vaines engagées, l'espoir qu'il conservait cependant. Il ne voulait pas les désespérer plus profondément et préférait leur cacher une partie de la réalité du terrain. Il dit qu'il ne se pardonnait pas d'avoir mis Sophie en danger. Il n'attendait pas de réponse à ce mea-culpa. Il leur était déjà si reconnaissant de ne pas l'avoir accablé !

***

Lorsque Jean décrocha son téléphone, il dut s'asseoir tant la surprise d'entendre Dieter fut grande. Il eut les jambes et le souffle coupés. Il fit signe à Marie de se rapprocher tandis qu'il activait le haut-parleur.

Elle s'approcha et dut s'appuyer sur son mari pour ne pas tomber quand elle apprit la disparition de sa fille unique. Jean se releva aussitôt de sa chaise et y fit asseoir son épouse. Il conserva sa main libre sur l'épaule tremblante de Marie qui pleurait silencieusement, la tête dans ses mains.

Il raccrocha lentement, ne sachant par où commencer. Le regard noyé de larmes de Marie lui fendait le cœur. Il voulait la rassurer, il voulait croire que sa fille vivait toujours, là, quelque part en Allemagne. Mais il ne savait pas comment faire pour insuffler du courage à sa femme. Il lui fallait ramasser tout le sien propre pour ne pas s'effondrer et hurler de douleur.

Marie refusa la main qu'il lui tendait. Elle voulait arrêter de souffrir. Elle voulait mourir ici et maintenant. Elle ne voulait pas survivre à son enfant perdue.

Jean se pencha tendrement vers elle et la prit dans ses bras, l'obligeant ainsi à se lever. Ils restèrent de longues minutes l'un contre l'autre, partageant la même redoutable peine, la même douleur effroyable.

Gabriel trouva ses parents dans les bras l'un de l'autre en entrant dans la pièce et il eut la glaçante prémonition qu'ils venaient d'apprendre le pire. Il les rejoignit et les entoura à son tour de ses bras puissants. Le trio resta ainsi, statufié au beau milieu de la pièce.

Jean, le premier, se ressaisit et expliqua à son fils ce que Dieter venait de leur apprendre. Il insista sur l'existence d'un espoir, si ténu soit-il, autant pour rassurer ses interlocuteurs que pour essayer de s'en convaincre lui-même.

Gabriel partit en courant prévenir Camille qui desservait quelques tables libérées par les clients.

La soirée était éprouvante. Entre le stress qui ne la quittait pas depuis les inondations et la nombreuse clientèle de vacanciers, elle n'avait pas eu une minute à elle.

Son cœur bondit dans sa poitrine quand elle vit Gabriel. Sur son visage, elle essaya de deviner les nouvelles qu'il lui apportait, de déchiffrer ses émotions.

Avec impatience, elle le rejoignit et murmura d'une voix chevrotante :

— Alors ?

À voix basse, Gabriel lui raconta ce qu'il savait puis repartit au galop prévenir Florent.

Au SDIS, les sapeurs-pompiers étaient à table et profitaient d'un moment de répit bienvenu, après une longue journée de garde, rythmée par des interventions continuelles.

Florent fit signe à Matthieu de le rejoindre après avoir lu le nom de son interlocuteur.

Ce dernier bondit de son siège et en deux enjambées fut près de son ami. Ils s'isolèrent un peu dans la pièce, où des rires éclataient à la suite d'une blague racontée par un jeune volontaire.

Grâce au haut-parleur, Matthieu fut mis au courant en même temps que Florent. Son cœur éclata dans sa poitrine et le désespoir menaça de l'envahir. Sa vue se brouilla et il dut s'appuyer contre le mur pour ne pas s'écrouler. Il reprit sa respiration pour tenter de calmer les battements désordonnés de son cœur. Après tout, les situations d'urgence composaient l'essentiel de son métier. Mais aucune, jusqu'alors, ne l'avait touché d'aussi près. Pour la première fois de sa vie, une peur panique le gagnait et il ne voulait pas la laisser l'envahir. Il ne voulait pas perdre ses moyens. Au contraire, il lui fallait rassembler ses idées, recouvrer ses forces et, surtout, agir !

Florent était sur la même longueur d'onde que son ami. Après une brève discussion, ils décidèrent de poser leurs congés immédiatement et de partir au plus vite pour la Rhénanie. Sur cette décision lourde de sens, ils se rendirent dans le bureau de leur colonel et lui exposèrent le plus calmement possible la situation.

Leur supérieur fit preuve de compréhension et d'empathie et leur proposa même d'accélérer les procédures et de contacter l'état-major allemand.

***

Quand Otto conduisit Juliette jusqu'à Cologne, le lent trajet provoqué par des amas de pierres et de branches sur les chaussées, fut une rude épreuve pour les deux jeunes gens.

L'inondation avait laissé des traces dévastatrices, qui reflétaient une impression de guerre. Des maisons détruites, des voitures renversées à des endroits improbables, des arbres déracinés gisaient comme des squelettes géants recouverts de boue.

Juliette tournait la tête en tous sens. Elle n'avait pas assez de ses deux yeux pour mesurer l'ampleur de cette catastrophe. Au fur et à mesure de ses découvertes, elle prenait conscience qu'il serait très difficile, voire impossible de retrouver Sophie. Elle se fustigea intérieurement d'avoir d'aussi sombres pensées. Il ne fallait pas que ça portât malheur à sa meilleure amie. Pour conjurer le sort, elle s'obligea à se répéter « on va la retrouver », en un leitmotiv lancinant.

D'une certaine façon, l'aéroport portait aussi les stigmates de la tempête. De nombreux voyageurs hagards attendaient devant les guichets, ayant pour tout bagage leurs seuls vêtements ou des couvertures de survie. Des messages clignotaient au-dessus des comptoirs.

Otto les traduisit pour Juliette. On orientait les passagers qui avaient perdu leurs papiers et qui désiraient rentrer chez eux. Des mesures sanitaires étaient également mises en place. On proposait des masques pour tous et des tests à ceux qui n'étaient pas vaccinés.

Évidemment, la crise sanitaire internationale aggravait la situation en Allemagne.

Juliette faisait presque partie des chanceux, se dit-elle. Après avoir rempli toutes les formalités d'usage pour la modification de son billet retour, elle fit enregistrer son bagage par l'hôtesse assise derrière son comptoir.

Otto lui offrit d'attendre l'heure de l'embarquement avec elle.

Elle se trouvait lâche de partir à ce moment-là, ce qui la mettait très mal à l'aise vis-à-vis du jeune homme. Elle refusa qu'il restât avec elle, comprenant bien qu'il désirait rentrer au plus vite pour aider sa famille à remettre en état ce qui pouvait l'être. Elle souhaitait surtout qu'il puisse continuer à participer aux recherches.

Dans les hôpitaux d'Ahrweiler, la situation était très tendue. De nombreux patients souffrant de traumatismes physiques et psychiatriques affluaient. Les médecins coordinateurs faisaient de leur mieux pour les rediriger vers les services adéquats et les répartir dans les différentes cliniques de la ville.

Malgré tous les efforts du personnel soignant de la *Dr von Ehrenwallsche klinik*, les couloirs étaient engorgés par des brancards sur lesquels étaient allongés des blessés. Ceux qui pouvaient se tenir debout faisaient les cent pas. Les autres étaient, au mieux assis sur des chaises, sinon directement sur le sol recouvert de linoléum vert pâle.

Les infirmières s'occupaient le plus vite possible des urgences, tels les membres cassés, les blessures qui saignaient abondamment, ou celles qui faisaient hurler de douleur…

Le docteur Lukas Müller ne comptait plus ses heures, ayant dépassé depuis bien longtemps son temps de travail et de garde. Il avait à peine le temps de passer chez lui embrasser sa famille et se changer après une bonne douche, qu'il repartait déjà au chevet de tous ces gens blessés et traumatisés.

Il avait posé tant de plâtres sur des bras et des jambes, tant de bandages autour de crânes, qu'il en avait perdu le compte. Il avait l'impression de travailler à la chaîne et de ne pas avoir passé assez de temps avec chaque patient. Mais il faisait de son mieux et, à son plus grand regret, ne pouvait pas faire plus dans l'immédiat, même si sa frustration était à son paroxysme.

Heureusement, son équipe était efficace et ne rechignait pas à la tâche malgré la vie privée et le repos mis de côté.

Il se doutait bien que tout cela ne durerait qu'un temps. Mais pour l'heure, trois jours après la catastrophe, il était pressé que le calme revînt au plus tôt.

Il s'inquiétait particulièrement des blessures post-traumatiques qui étaient parfois invisibles à l'œil, mais demeuraient si longues à guérir. Les diagnostics étaient difficiles à établir tant certains malades étaient prostrés et en état de choc.

***

Florent et Matthieu s'envolèrent dès le lendemain après-midi pour Cologne.

Ils avaient dû lutter pied à pied avec Jean qui tenait à les accompagner. À force de le raisonner, ce dernier avait convenu qu'il valait mieux qu'il restât au domaine pour aider Gabriel qui croulait sous le travail.

Pour ne pas ajouter au stress des Hofmann, Florent les avait simplement informés qu'ils arrivaient et qu'ils logeraient dans un petit hôtel.

Dieter avait refusé de les laisser s'installer à l'hôtel et avait insisté pour qu'ils vinssent chez eux. Ottilie était contente de les recevoir et établissait déjà mentalement les menus qu'elle cuisinerait pour nourrir tous ces hommes. Elle espérait toujours que Sophie serait enfin retrouvée, et de l'aide pour y parvenir était la bienvenue. Elle voyait bien que les recherches engagées par son mari et ses fils n'aboutissaient pas pour le moment. De plus ils devaient essayer de remettre en état leur propre exploitation, sans parler des coups de main qu'ils devaient à leurs amis et leurs proches voisins.

Ce fut donc avec un certain soulagement qu'elle accueillit les deux jeunes sapeurs-pompiers français, lorsqu'ils garèrent leur voiture de location dans la grande cour.

Chapitre 7

Les deux Français rejoignirent le *rettungszentrum* d'Ahrweiler afin d'y rencontrer Sven Meyer, le chef de ce service d'urgence, dont ils avaient eu le contact grâce aux différents coups de fil passés par leur colonel narbonnais. Klaus les accompagnait afin de servir d'interprète.

En traversant la ville, ils découvraient des tuyaux s'enfonçant dans l'obscurité des garages ou des sous-sols. Des milliers de litres d'eau étaient ainsi pompés, tandis que les pompiers, à l'extérieur, appréhendaient d'y découvrir de nombreux disparus, sans doute recherchés désespérément par leurs proches. C'était un épouvantable jeu de hasard. Bien que l'on sache déjà que la majorité des personnes victimes étaient probablement mortes, les autorités restaient prudentes quant au nombre de personnes toujours disparues. Pourtant, parfois, des habitants signalés manquants par leurs familles ou amis finissaient par pouvoir donner de leurs nouvelles, après plusieurs jours sans accès au réseau de communication.

C'était à ce mince espoir que se raccrochaient Florent et Matthieu. Après tout, pourquoi Sophie ne ferait-elle pas partie de ces rescapés ?

Dès le soir de leur arrivée, ils avaient diffusé un avis de recherche sur les réseaux sociaux. Ils espéraient de tout cœur que leur message ne serait pas vain.

Matthieu refusait de laisser l'espoir qui le portait s'évanouir.

Sven Meyer leur conseilla de s'adresser à la plateforme dédiée au canton martyr d'Ahrweiler. Ce qu'ils firent immédiatement.

Un agent d'accueil leur demanda quelques renseignements sur la disparue ainsi qu'une photo récente.

Afin de répondre au mieux à plusieurs questions précises, ils durent appeler Juliette à Gruissan pour obtenir des informations qu'ils ne possédaient pas eux-mêmes, telles que sa tenue vestimentaire ou les bijoux qu'elle portait, au moment de sa disparition.

L'agent leur expliqua qu'une cinquantaine d'enquêteurs travaillait sur les signalements, mais qu'il était très difficile, voire impossible en l'état actuel, de se rendre dans toutes les maisons. La recherche pouvait prendre des semaines au mieux.

Ces perspectives ne rassuraient guère les deux hommes, sauf que Sophie n'avait pas disparu dans une maison inondée. Ils ne savaient pas si c'était mieux ou moins bien. Ils s'agrippaient comme ils le pouvaient à la moindre idée porteuse d'espérance.

Klaus leur avait traduit que des témoins avaient vu des voitures dériver sur la rivière en crue avec des passagers coincés à l'intérieur. Ils savaient également que le tracteur avait été bloqué par les arbres. Donc ils supposaient que Sophie avait dû tomber dans le flot boueux et être emportée.

Florent estimait que sa sœur était une bonne nageuse et qu'elle était en pleine forme. Forcément elle s'était certainement tirée de cet accident, pensait-il à part soi.

Matthieu, quant à lui, se refusait à imaginer sa jolie Sophie engloutie par cette vague fracassante.

Après avoir scrupuleusement complété les renseignements du dossier, avec un air à la fois triste et las, l'agent leur conseilla d'aller au *flugplatz*[12] qui servait de base pour les hélicoptères qui évacuaient, notamment, les cadavres des victimes découverts sous les décombres par les sauveteurs.

À l'écoute de la traduction, Matthieu s'affaissa un peu sur sa chaise et passa nerveusement une main dans sa chevelure brune. On dit que les grandes douleurs sont muettes, c'était peut-être vrai. Mais à cet instant, il avait envie de hurler.

Malgré le choc causé par cette proposition, Florent se ressaisit le premier et se leva en entraînant les deux autres dans son sillage.

— Klaus, tu peux nous y emmener ? demanda-t-il d'une voix qu'il voulait ferme.

---

[12] Aérodrome.

Le jeune Hofmann hocha la tête et les conduisit aussitôt à l'extérieur d'Ahrweiler.

**

À Gruissan, les belles journées d'été ne parvenaient pas à alléger le désespoir des parents Latour. Le travail absorbait leurs forces, mais ne leur permettait pas d'occulter longtemps le drame qu'ils étaient en train de vivre.

Marie aidait Camille à plier les draps qu'elles venaient de décrocher des fils à linge, pendant qu'Alexandre, coiffé de son bob orné de dinosaures, parcourait la distance entre la maison et sa mère avec sa trottinette. Il faisait des effets de jambe, en levant une derrière lui, tel un patineur. Il riait à gorge déployée, avec la candeur de l'enfance, ne se doutant pas un instant du drame qui se jouait si près de lui.

Victoire ne savait pas de quoi il retournait mais devinait que quelque chose de grave se tramait. Le visage blême et les yeux brillants de larmes de sa grand-mère l'inquiétaient beaucoup. Alors pour effacer la crainte de l'inconnu, elle avait préféré rester quelques jours chez ses grands-parents maternels.

Jean travaillait dans ses vignes avec son fils aîné. Mais chaque parcelle, chaque cep lui rappelait sa fille adorée.

Marie et Jean étaient souvent obligés de s'arrêter pour respirer, l'apnée collective ne servait à rien, sinon à les affaiblir.

Juliette était venue leur rendre visite, aussitôt son sac de voyage posé.

Marie l'avait longuement serrée contre elle avant d'entamer les questions qu'elle se posait depuis ce jour terrible.

Hélas, Juliette était impuissante à endiguer ce flux parce qu'elle ignorait la plupart des réponses.

**

La *klinik* ayant été submergée par les arrivées, le docteur Müller avait dû se résoudre à faire rajouter des lits dans les chambres.

Dorénavant, les chambres individuelles avaient fait place à des chambres doubles, voire triples selon les dimensions. Il avait fallu réorganiser les services et le personnel surmultipliait les heures supplémentaires.

À ce stade, les secours amenaient de moins en moins de victimes. Lukas Müller se doutait bien que ce n'était plutôt pas bon signe. Hélas, en revanche, la morgue se remplissait. Il voulait croire aussi que des gens retrouvaient leurs proches et que beaucoup s'en étaient sortis…

La visite des chambres lui prenait plus de temps qu'habituellement puisque le nombre de malades avait considérablement augmenté. Cependant, il ne se départissait pas de son sourire, et exigeait que les autres, médecins ou infirmières, fissent de même. Il lui paraissait pour le moins inutile de créer davantage d'angoisse auprès de ces pauvres victimes. La bonne humeur et les visages souriants mettaient du baume au cœur et favoriseraient peut-être un meilleur et prompt rétablissement, pensait-il.

L'unité de réanimation était plongée dans le calme, seul le bruit des appareils du monitoring rompait le silence. Elle était partagée en plusieurs box, dont deux étaient actuellement occupés par deux femmes ayant subi un traumatisme crânien assez important. L'infirmière ouvrit les rideaux qui isolaient les box les uns des autres, en précédant le médecin-chef.

Il s'approcha du premier lit où était alitée une femme encore jeune. Elle était de corpulence plutôt mince. Son crâne bandé masquait partiellement ses cheveux blonds. Son visage était couvert d'ecchymoses et de plaies suturées. Elle était paisible dans son inconscience, ses constantes étaient bonnes. Lukas Müller vérifia son pouls et reposa délicatement sa main sur le drap bleu pâle puis souleva ses paupières.

Sur le deuxième lit reposait une autre femme portant elle aussi un énorme bandage sur le crâne qui recouvrait totalement sa chevelure. Comme sa voisine, son visage était marqué par d'étranges couleurs passant du violet au vert, Elle avait reçu un énorme choc au visage et ses yeux étaient bandés. Elle était arrivée dans le service après un passage au service d'ophtalmologie. Elle semblait dormir profondément alors qu'elle aussi était plongée dans le coma. On l'avait dotée d'un masque à haute concentration d'oxygène pour faciliter sa respiration.

Pour le moment, aucune des deux n'était identifiée. Les secours les avaient transportées jusqu'à la *klinik,* sans papier d'identité. Sur les plaques au pied de leur lit, la mention *unbekannt*[13] était écrite en majuscules à l'aide d'un marqueur noir.

Après avoir donné ses directives au personnel soignant, le docteur Müller ressortit et continua ses visites, suivi par son escorte médicale.

À l'aérodrome d'Ahrweiler, étudier les cartes rédigées concernant les morts, soulever les draps de ceux qui n'étaient pas identifiés fut une rude épreuve pour les trois jeunes gens.

Dire qu'ils furent soulagés de n'avoir pas trouvé Sophie à cet endroit était en quelque sorte vrai. Une perspective optimiste subsistait, malgré le nombre de cadavres recensés.

Ils rentrèrent déjeuner chez les Hofmann. Ottilie leur avait cuisiné un *eisbein*[14] avec des *knödels*. Il lui semblait que cuisiner était un bon dérivatif. Alors, elle s'appliquait à préparer des mets réconfortants pour l'estomac mais aussi pour l'âme.

Malgré la succulence du plat, Matthieu n'avalait qu'avec difficulté. Il parlait peu, se contentant d'écouter. Il restait centré sur la disparition de son amoureuse et ne parvenait pas à penser à autre chose. Où était-elle en ce moment ? Souffrait-elle ?

Avait-elle été retrouvée quelque part ? Une famille l'avait-elle recueillie ? Autant de questions qui tournaient en rond dans sa tête tel un carrousel dont les chevaux s'emballaient, et aucune réponse ne se frayait un chemin jusqu'à sa conscience. Il se refusait toujours à envisager une issue fatale. Pas elle ! Pas sa Sophie !

---

[13] Inconnue.
[14] Jarret de porc.

Après le *mittagessen*[15], Dieter invita Florent et Matthieu à le suivre au salon pour prendre le café et surtout pour écouter les informations.

Otto en profita pour consulter les réseaux sociaux. Il posa l'ordinateur au milieu de la table de salon pour que chacun visse les publications récentes.

Des images d'émouvantes retrouvailles, après des heures d'angoisse, étaient publiées. Des appels restaient sans réponse. Un homme recherchait ses beaux-parents disparus avec leur camping-car. Un autre message poignant remerciait les internautes pour leurs nombreux partages, et prévenait qu'ils devenaient désormais inutiles car la personne n'avait pas survécu.

Florent appela ses parents pour leur faire un compte-rendu quelque peu édulcoré de leurs recherches, qui se révélaient infructueuses pour le moment. Il tenta de leur insuffler du courage en leur expliquant tout ce qui était entrepris et organisé en Allemagne pour retrouver les disparus. Les pompiers, le THW[16] et les services de secours ainsi que d'innombrables bénévoles faisaient de leur mieux.

Pendant ce temps, le capitaine Lartigue appela son colonel afin de le tenir informé de la situation sur place, bien qu'elle fût difficilement descriptible. Cela ressemblait à une zone de guerre. Les pompiers effectuaient chaque jour un service exigeant sur place.

— J'ai pu discuter avec des camarades qui ont eux-mêmes été touchés par la catastrophe et qui pourtant sont là, inlassablement pour aider leurs semblables, raconta Matthieu avec beaucoup d'émotion.

— Qu'en est-il de votre amie ?

— Pour le moment, nous n'avons rien, aucune info et pas la moindre piste, s'étrangla le jeune homme. Mais on ne baisse pas les bras, on poursuit nos recherches. Cet après-midi, on va visiter les lieux d'accueil qui ont été mis en place, poursuivit-il plus fermement, en passant une main sur ses courts cheveux bruns.

---

[15] Déjeuner.
[16] Organisation de protection civile.

Après avoir discuté et étudié toutes les possibilités qui s'offraient à eux avec les Hofmann, courageusement les trois hommes se remirent en route pour poursuivre leurs recherches. Ils préféraient rester ensemble parce que le rôle de traducteur d'Otto était réellement indispensable aux deux jeunes Français.

Ils décidèrent de se rendre dans chaque hôpital ou *klinik* depuis Ahrweiler jusqu'à Bad Neuenahr.

Le seul hôpital d'Ahrweiler n'était pas très loin de chez les Hofman. Ils commencèrent donc par la *Dr von Ehrenwallsche klinik.*

***

Pendant ce temps à Gruissan, Juliette consultait le site du consulat général de France à Francfort, puis appelait l'ambassade de France à Berlin et enfin épluchait le site du ministère français des Affaires étrangères. Malheureusement, ses investigations demeuraient vaines tant les réponses restaient évasives. Elle s'arrachait les cheveux à essayer de trouver des informations fiables ou tout simplement un interlocuteur prêt à l'aider ou du moins à l'orienter vers la bonne personne ou le bon service. C'était démoralisant et souvent des larmes de rage et de découragement coulaient sans qu'elle en eût réellement conscience.

Ses parents l'épaulaient comme ils le pouvaient, mais l'exhortaient sans cesse à « accepter la vérité ». Ça, elle ne pouvait pas ! C'était inenvisageable d'imaginer Sophie morte. Cela lui retournait l'estomac et elle se précipitait aux toilettes pour aller vomir quand cette image se profilait devant elle.

Petit à petit, elle s'étiolait. La jolie plante qu'elle était se fanait. Elle perdait l'appétit et plus grave, le goût de vivre. Elle ne dormait plus et faisait le même cauchemar toutes les nuits. Sophie courait devant elle et elle ne pouvait jamais la rattraper. Elle était soudainement emportée par le vent et disparaissait pour toujours. Juliette se réveillait en hurlant et pleurait à chaudes larmes. Malgré l'insistance de sa mère, elle refusait d'aller consulter un médecin. Elle ne se sentait pas le droit de vivre alors que sa chère Sophie n'était plus et qu'elle-même était partie en la laissant derrière elle, presque sans se retourner…

Chapitre 8

Otto se gara sur une place de stationnement à la *klinik* et descendit, suivi par Florent et Matthieu. À grands pas, ils remontèrent le parking puis l'allée menant à l'accueil qui était interdit au public à cause des restrictions sanitaires mises en place.

À l'extérieur, devant les portes d'entrée, une personne masquée leur demanda ce qu'ils voulaient et leur recommanda fermement d'attendre pendant qu'elle appelait quelqu'un.

Matthieu se contenait difficilement. Il piétinait d'impatience et balançait ses bras d'avant en arrière. Il rugissait intérieurement, comme un lion en cage.

Au bout de quelque temps, l'agent d'accueil revint avec une infirmière, masquée comme lui.

À nouveau, Otto expliqua l'objet de leur recherche. La femme en blanc secouait la tête à chaque phrase.

Florent et Matthieu se regardaient, ne sachant qu'envisager. Ils n'osaient imaginer une réponse positive qui les délivrerait de leur incessant tourment.

Finalement, l'infirmière tourna les talons. Otto leur fit face. Son visage n'exprimait rien. Les deux Français étaient sur des charbons ardents.

— Alors ? tonna Florent.

— Elle va se renseigner dans les services et m'appelle si elle la trouve.

— On aurait dû aller la chercher nous-même ! gémit Matthieu.

— Mais on ne peut pas entrer dans la clinique à cause du Covid. Ils ont plusieurs personnes qui ne sont pas identifiées. Elle doit faire le tour de tous les services et ça risque de lui prendre du temps, répondit calmement Otto.

— Bon, alors on va voir les autres hôpitaux en attendant, temporisa Florent en tapotant l'épaule de Matthieu. Allez, viens ! De toute façon, on n'a pas le droit d'entrer.

En traînant un peu des pieds, Matthieu suivit les deux autres jusqu'à la voiture et grimpa à l'arrière. Il ouvrit la vitre et aspira l'air à pleins poumons.

Otto engagea le véhicule sur la route menant à Bad Neuenahr, la ville contiguë d'Ahrweiler. Il s'arrêta d'abord sur la *Hochstrasse* à la *Median Klinik Tönisstein*.

Comme pour la clinique précédente, ils durent attendre dehors que quelqu'un les renseignât. Au bout d'un certain temps, ils repartirent déçus : aucune jeune femme française ne faisait partie des personnes dirigées vers leur unité médicale.

La tête basse, ils se rendirent ensuite à la *Krankenhaus Maria Hilf* au numéro trois du *Dahlienweg*.

Là, un espoir insensé les gagna. Une infirmière les informa qu'ils avaient bien enregistré l'arrivée d'une patiente blonde non identifiée. Elle les conduisit jusqu'au service, après les avoir pourvus d'un équipement digne d'un film de science-fiction ! Elle leur expliqua avec force détails qu'entre le Covid et les sinistrés, l'hôpital renforçait ses mesures de précaution, même si cela semblait exagéré au commun des mortels.

Matthieu avait le cœur qui battait à cent à l'heure. Sous la visière et la charlotte, il transpirait abondamment. Il ne savait pas si c'était dû à la chaleur seule ou à une crainte croissante.

Florent n'en menait pas large. Il priait intérieurement pour que cette inconnue fût sa petite sœur. Il rêvait déjà d'annoncer la bonne nouvelle à ses parents.

Otto les attendait devant l'hôpital. Il n'avait pas pu les suivre, mais pensait sincèrement que les retrouvailles seraient plus tranquilles et émouvantes sans lui. Afin de pallier l'ennui, il appela ses parents pour les tenir informés de la tournure des évènements.

Après une longue garde de quarante-huit heures qui n'en finissait plus, Lukas Müller rentrait enfin chez lui. Retrouver sa femme et sa fille était un bain de jouvence pour lui. Le travail à la *klinik* était tellement prenant qu'il avait le sentiment de ne vivre qu'à moitié. Hélas, sa vie de famille était amputée par les patients, les urgences, la course pour sauver des vies, pour réparer des corps, pour soulager des esprits. Il était impatient de rentrer, de prendre sa femme dans ses bras et de discuter avec Lili, sa fille de dix-sept ans. Cela faisait plusieurs jours qu'il ne l'avait pas vue. Ils se croisaient. Le matin, elle partait pour le *gymnasium*[17] *Calvarienberg*, après que lui-même eut déjà rejoint l'hôpital.

Lukas consulta sa montre et décida d'aller chercher sa fille à la sortie des cours. Il y avait si longtemps qu'il ne l'avait pas fait. Subitement, il en avait envie. Il avait envie de cette joie simple : aller chercher Lili à l'école. Sans plus réfléchir, il s'engagea sur la *Blandine Mertin Strasse* et se gara devant l'établissement scolaire. Il fixa le portail afin de ne pas rater Lili. Quand il la vit, il klaxonna plusieurs fois, jusqu'à ce que la jeune fille tournât enfin la tête et le vît.

Elle salua rapidement ses camarades et courut jusqu'à la voiture de son père. Elle sauta sur le siège de la voiture et se pencha vers son père qui la prit dans ses bras. Ils restèrent ainsi quelques instants, l'un contre l'autre, heureux de se revoir.

Florent et Matthieu pénétrèrent dans le sas vitré, la boule au ventre.

Face à eux, une femme était étendue. Ses cheveux blonds étaient répandus sur son oreiller. Elle avait un énorme pansement qui masquait son œil gauche. Son œil droit était fermé. Elle dormait, leur apprit l'infirmière.

De là où ils étaient, les deux hommes avaient du mal à voir le visage de la femme endormie. Ils réussirent à faire comprendre à l'infirmière

---

[17] Lycée.

qu'ils ne pouvaient rien affirmer parce qu'ils ne voyaient pas bien le visage de la patiente étendue. Elle quitta la pièce en leur disant simplement *Ein moment bitte*[18] !

Pendant son absence, Matthieu se levait sur la pointe des pieds, étirait le cou au maximum, mais ne réussissait pas à bien distinguer les traits de la personne. Il avait l'impression, assez frustrante, que ce n'était pas la corpulence de Sophie. La personne alitée semblait plus petite, mais il n'en était pas sûr. Il avait tellement envie de croire que c'était elle, que sa quête était enfin terminée, qu'il allait enfin pouvoir la prendre dans ses bras et lui dire qu'il l'attendait depuis si longtemps.

Florent, quant à lui, n'osait pas trop y croire. Il était d'avis que la blondeur de cette femme ne correspondait pas à celle de sa petite sœur. Il ne disait rien et attendait en se balançant d'un pied sur l'autre. Il savait que Matthieu espérait follement et il refusait d'être l'oiseau de mauvais augure. Alors, il se taisait.

L'infirmière réapparut. Elle tenait dans ses mains un grand miroir rectangulaire cerné de plastique vert. Elle leur expliqua sans doute ce qu'elle allait faire, mais comme Otto n'était pas avec eux, ses explications furent vaines.

Cependant, rapidement ils comprirent ce qu'elle leur proposait. Elle entra dans le box de la patiente et plaça le miroir de façon à ce que les deux hommes vissent nettement son visage.

Les épaules de Florent s'affaissèrent et Matthieu se recroquevilla. Il avait l'impression d'avoir reçu un coup de poing au creux de l'estomac. Il dut s'asseoir pour ne pas tomber et reprendre son souffle.

Bien que très déçu, Florent s'approcha de son ami et posa une main sur son épaule. Il referma un peu ses doigts sur le muscle, comme pour le masser et le détendre, ou lui insuffler du courage.

Matthieu se pencha en avant et prit sa tête entre ses mains. Il ne voulait pas se laisser gagner par le désespoir, mais comme il était difficile de lutter ! Il avait envie de pleurer. De peur, de déception et de fatigue.

---

[18] Un moment, s'il vous plaît !

La jeune femme endormie n'était pas leur Sophie. Elle lui ressemblait vaguement, mais ce n'était pas elle.

L'infirmière aussi était déçue. Elle avait tant espéré que ce soir elle pourrait écrire un nom et un prénom sur le dossier médical de cette femme qui venait d'arriver dans le service et qui était sédatée pour lui éviter d'inutiles souffrances.

Ils n'eurent pas réellement besoin de dire quoi que ce soit à Otto. Leurs visages exprimaient mieux que les mots qu'ils n'avaient pas de bonne nouvelle à lui annoncer, hélas.

— Allez, les encouragea-t-il, on va la retrouver ! Il faut y croire. Ce sera pour la prochaine fois. Alors on continue, on va aller quand même à la *Dr Fachklinik für kinder*[19]. Venez !

Ils continuèrent leur route jusqu'à cette clinique privée, mais là encore une déception les attendait : il n'y avait aucune malade non identifiée.

Otto vérifia son portable. Personne encore de la *Dr von Ehrenwallsche klinik* ne l'avait appelé ni ne lui avait laissé de message.

Ils décidèrent de rentrer. Cette longue journée où s'étaient mêlés tour à tour espoir et désespoir les avait éreintés. Leurs sentiments étaient usés, érodés par les hauts et les bas.

Matthieu redoutait une nouvelle soirée vide de sens sans sa belle à ses côtés. Il avait cessé de laisser des messages sur le téléphone de Sophie. Petit à petit, le découragement le grignotait et cela le consternait. Demain serait un autre jour et l'espérance renaîtrait certainement, mais ce soir, il avait envie de se rouler en boule et de pleurer.

Lili entra en courant dans la jolie maison de la *Goethestrasse*. Elle ne voulait pas voir le jardin qui avait été saccagé par les inondations. Avec toute l'insouciance des adolescents, elle voulait oublier cet épisode.

---

[19] Clinique pour enfants.

Quant à elle, Annelie Müller avait beaucoup de mal à occulter cette catastrophe. Son jardin qu'elle affectionnait tant, qu'elle entretenait elle-même avec tant de soin, était dévasté. Il faudrait des mois avant qu'il ne redevienne ce havre de paix que sa famille appréciait tellement.

Lukas disait toujours que grâce à ce calme préservé par son épouse, il pouvait penser à autre chose qu'à la *klinik* et son cortège de misères humaines. Il lui était reconnaissant de prendre si bien soin de son bien-être. Pourtant, il n'avait guère de temps à consacrer à Annelie et elle aurait pu le lui reprocher plus souvent. Elle était si compréhensive que cela l'aidait beaucoup à travailler sereinement. Il connaissait de nombreux couples du milieu médical qui n'avaient pas résisté à la pression, aux absences trop fréquentes, aux vacances écourtées, aux baisses de moral parfois…

Il resta quelques instants sur le perron et laissa son regard se déplacer sur le tilleul dont les basses branches retenaient des débris de toutes sortes, sur les hortensias qu'il faudrait sans doute couper pour leur donner une chance de repartir l'an prochain, sur le terrain boueux qui était d'un joli vert tendre avant d'être submergé. Il pensa qu'il fallait faire venir une entreprise pour tout nettoyer. Annelie ne s'en sortirait pas toute seule, et il n'avait pas le temps de lui donner un coup de main. Cependant il craignait, à juste titre, que les entreprises d'entretien des espaces verts ne soient débordées en ce moment. La famille devrait patienter pour retrouver un espace extérieur agréable à regarder et à vivre. Ils pouvaient s'estimer heureux de n'avoir que « ça » à déplorer !

Pendant qu'Annelie préparait l'*abendessen,* Lukas en profita pour discuter avec Lili de choses et d'autres. Tant de sujets pouvaient être abordés. Un seul était pour le moment laissé de côté. Celui de ces inondations traumatisantes.

Lili avait eu la peur de sa vie lorsqu'elle avait vu cette vague de boue jaillir dans son jardin par-dessus le portail. Elle avait hurlé et était partie en courant se réfugier dans les étages de la maison.

À cette heure de la journée, sa mère n'était pas encore rentrée de son cours de fitness et son père était à l'hôpital. Elle avait dû affronter seule sa terreur en se terrant au grenier, osant à peine regarder par l'œil de bœuf l'ampleur des dégâts. Le bruit assourdissant de ces flots sales, les cris dans la rue, les siens propres qui la sidéraient. Elle ne se serait jamais crue capable de hurler à ce point.

Quand elle avait été récupérée par les pompiers que lui avait envoyés sa mère, elle était si effrayée, si terrorisée, qu'ils avaient dû la porter. Elle s'était accrochée à son sauveteur et n'avait accepté de le lâcher que lorsqu'elle avait retrouvé les bras aimants d'Annelie.

Alors avait commencé l'attente de nouvelles de Lukas. A priori, aucun sinistré n'était signalé à l'hôpital. Dès qu'elles l'avaient appris, elles avaient pu enfin respirer et tenter de se détendre parmi les autres « naufragés » dans la salle municipale.

Lukas et Annelie savaient que ce jour-là, Lili avait vécu un épisode traumatisant pour son jeune âge. Ils l'entouraient de beaucoup d'amour et d'attention. Même plusieurs jours après cette catastrophe, leur fille faisait encore des cauchemars.

Mais ce soir, l'ambiance était plutôt sereine. Les discussions allaient bon train au cours du repas. Lukas se détendait enfin et profitait pleinement de sa soirée de repos en famille.

Chapitre 9

Depuis que leurs recherches avaient débuté, les deux Français n'avaient pas eu beaucoup de résultats. Inlassablement, depuis plusieurs jours, ils sillonnaient la ville en long, en large et en travers.

L'infirmière de la *Dr von Ehrenwallsche klinik* n'avait pas rappelé Otto. Plutôt que de s'avouer vaincu, celui-ci avait décidé de retourner à l'accueil de l'hôpital pour réitérer sa demande. Il n'avait pas averti Florent ni Matthieu. Il jugeait inutile de leur laisser miroiter un espoir qui pourrait être encore une fois déçu.

Ce matin, Dieter les emmenait avec lui sur le site où avait disparu Sophie. En effet, depuis quelques heures, les routes étaient enfin complètement déblayées et l'accès au vignoble était à nouveau possible.

Équipés de bottes en caoutchouc et de gants, les deux jeunes pompiers acceptèrent avec plaisir d'apporter leur aide à Dieter. Lorsqu'ils arrivèrent sur le site, ils eurent un haut-le-cœur devant cette impression de fin du monde. Tout était sens dessus dessous.

Dieter expliqua la situation aux deux jeunes Français. Il espérait pouvoir récupérer au moins son matériel qui coûtait extrêmement cher.

Son fils Klaus et un autre homme étaient déjà au travail sur le tracteur bleu couché contre les arbres le long de l'Ahr, à bord duquel Sophie avait pris place. Un autre tracteur plus gros était face à lui et les deux hommes s'activaient pour retourner l'engin bleu et le remorquer à l'aide de l'autre jusqu'au hangar pour pouvoir envisager des réparations.

Dieter et Matthieu s'approchèrent pendant que Florent se rendait de l'autre côté du vignoble avec un ouvrier agricole, munis de sécateurs et de brouettes. Il fallait tailler ce qui pouvait être sauvé et à ce jeu-là, Florent était assez efficace.

Dieter avait expliqué à Matthieu que Sophie conduisait ce tracteur et qu'elle avait été perdue ici.

Les larmes aux yeux, Matthieu baissa la tête et marcha jusqu'à la rivière qui, petit à petit retrouvait son lit. Il ne pouvait avoir l'espoir complètement insensé de retrouver Sophie au bord du cours d'eau. Pourtant, il marchait en scrutant chaque pierre, chaque creux, chaque buisson. Il marchait lentement, ainsi qu'il l'avait appris lorsqu'il s'agissait de rechercher quelqu'un. Mentalement, il quadrilla la zone et fit de longs allers-retours, afin d'être sûr de n'avoir oublié aucun endroit.

De loin, Florent le regardait, comprenant très bien ce que son ami faisait. Il haussa les épaules et jugea vain de lui rappeler l'inutilité de cette démarche. Ses jours de congé étaient presque terminés, il allait devoir rentrer pour reprendre son service. Avec une profonde affliction, il se faisait une raison : Sophie avait bel et bien disparu. Il fallait accepter l'inacceptable. Et surtout, il faudrait le faire accepter à ses parents.

En marchant ainsi, Matthieu n'ignorait pas que son acharnement était sans doute vain. Mais il ne pouvait pas s'en empêcher. C'était plus fort que lui. Était-il condamné à rechercher Sophie toute sa vie durant ? À appeler toutes les femmes blondes pour qu'elles se retournassent vers lui ? À chercher parmi les regards verts celui de sa bien-aimée ? Il en était là de ses réflexions lorsqu'un léger scintillement sur le sol le fit stopper net. Il se pencha plus en avant, mais ne vit rien de spécial. Alors qu'il se redressait, le doux rayonnement solaire dut se poser à l'endroit qu'il scrutait et fit briller à nouveau quelque chose. Matthieu s'accroupit et balaya délicatement le sol de sa main gantée de noir. Il découvrit une petite chaîne dorée cassée au bout de laquelle pendait encore une médaille. Matthieu les ramassa et essaya de les nettoyer pour mieux voir. Mais il lui fallait de l'eau claire et il n'en avait pas sous la main. Il enveloppa sa trouvaille dans un mouchoir en papier et mit le tout dans sa poche. Il poursuivit ses recherches, la tête penchée et le buste courbé en avant.

Le docteur Müller faisait sa visite quotidienne à ses patients. Tout doucement, les malades regagnaient leur domicile. Certains partaient en ambulatoire, d'autres restaient un peu plus longtemps à l'hôpital. Lorsqu'il franchit la porte de l'unité de réanimation, la patiente du premier box lui sourit et ses grands yeux verts s'étirèrent sur ses tempes. Des mèches blondes s'échappaient de son bandage. Elle devait avoir une vingtaine d'années, pensa Lukas. Elle était plutôt jolie malgré les ecchymoses et les quelques points de suture qu'elle avait sur la joue.

Lukas s'approcha du bord du lit de sa patiente, prit sa main dans la sienne et lui demanda comment elle s'appelait.

La jeune femme eut l'air surpris, ne réfléchit que quelques secondes seulement et répondit :

— Ulrike Fischer.

Il continua à la questionner pour s'assurer qu'elle était pleinement consciente de ses paroles. Il invita une infirmière à composer le numéro de téléphone qu'Ulrike venait de lui transmettre. Lukas lui sourit et se releva pour noter ce nom sur sa fiche. Il raya la mention « inconnue » avec un certain soulagement.

Pour cette patiente, le temps ferait son œuvre et elle reprendrait sa vie là où elle avait été interrompue.

Il donna les directives médicales à suivre et autorisa la patiente à sortir dès le lendemain. Puis il passa dans l'autre box où la dernière inconnue était toujours dans le coma. Les couleurs du visage viraient au vert clair, signe que les hématomes se résorbaient doucement. Il vérifia ses constantes, donna quelques consignes au personnel soignant et repartit.

À peine l'équipe médicale venait-elle de sortir du box, qu'un léger frémissement agita le corps étendu sous le drap bleu pâle. L'index droit se souleva légèrement avant de redevenir inerte.

Pendant que Florent s'occupait de réserver son vol de retour pour le surlendemain, Matthieu buvait une bière avec les Hofmann. Il ne se résolvait pas à quitter l'Allemagne sans Sophie avec lui. Il avait envisagé la possibilité qu'il devrait rester davantage sur place et avait d'ores et déjà bloqué ses jours de congé. Il devait demander à Dieter et Ottilie de l'aider à trouver un hébergement, il ne voulait pas abuser de leur extrême gentillesse. Lui n'était pas un Latour et les Hofmann ne lui devaient rien.

Alors qu'il exposait ses plans à Dieter et à sa charmante épouse, il mit sa main dans sa poche et retrouva la petite chaîne brisée empaquetée dans le mouchoir en papier. Il le sortit et le garda dans sa main durant la conversation.

— Bien sûr que vous restez chez nous, lui affirma avec force Dieter. Il n'est pas question d'aller à l'hôtel.

Il traduisait pour Ottilie qui hochait la tête en souriant.

— *Du bist herzlich willkommen[20] !*

Matthieu les remercia chaleureusement et embrassa Ottilie sur les deux joues. Puis il ouvrit le petit paquet qu'il tenait dans sa main et montra sa découverte à ses hôtes.

Ottilie lui prit la chaîne et le médaillon des mains et se dirigea vers l'évier en grès. Elle passa le bijou cassé sous l'eau, le brossa doucement puis l'essuya.

Matthieu se rapprocha d'elle et regarda attentivement le profil sur la médaille. Il lui semblait reconnaître un bijou qu'il avait vu autour du cou de Sophie. Mais il craignait de prendre ses désirs pour la réalité.

Manifestement, les Hofmann ne reconnaissaient pas ce pendentif. En tout cas il n'était pas à eux.

Sur ces entrefaites, Florent entra dans la cuisine où l'attendait une bière servie par Dieter.

Matthieu lui montra aussitôt la médaille trouvée.

Florent blêmit. Il reconnut immédiatement le collier de sa sœur.

— C'est notre grand-mère qui le lui a offert pour son bac. C'est le portrait de la déesse Tanit. Elle est censée protéger la fertilité, la lune

---

[20] Tu es le bienvenu !

et la nature. Ça fait partie de la mythologie des différentes cultures antiques de la Méditerranée, récitait-il d'une voix tremblante. Où l'as-tu trouvé ?

— Par terre, pas loin du tracteur, répondit Matthieu d'une voix si basse que Florent devait tendre l'oreille pour entendre.

Le capitaine Lartigue, si fort, si courageux lorsqu'il s'agissait de secourir des inconnus, était laminé par sa découverte. Il craignait pour la vie de sa Sophie chérie. Quelle force avait réussi à lui arracher ce collier ? Dans quel état était-elle ou serait-elle quand il la retrouverait ?

Florent lui rendit le collier en le plaçant délicatement au creux de sa main.

— Garde-le pour elle. Je suis sûr que ça lui ferait plaisir, s'enroua-t-il, les larmes aux yeux.

Il refusait de stopper les souhaits d'espérance qui animaient Matthieu.

Ce dernier lui donna une accolade en témoignage de sa gratitude infinie. Cette petite médaille serait peut-être tout ce qui lui resterait de Sophie et il la chérirait comme un trésor sacré. Paradoxalement, il sentait que ce n'était pas la fin mais le début d'une page à écrire. Et il voulait que cet incipit fût le plus beau et le plus réussi de tous les chapitres qu'il voulait rédiger avec et pour Sophie.

L'émotion était palpable. Tous les protagonistes étaient pareillement affectés. Ottilie essuyait ses yeux avec le torchon qu'elle avait gardé entre ses mains et Dieter reniflait bruyamment.

Au cours de sa visite du soir dans les chambres, l'infirmière vérifiait que chaque patient fût prêt pour une bonne nuit. Elle prodiguait à la fois soins et paroles réconfortantes à tous sans exception. Même auprès de l'inconnue de l'unité de réanimation. Elle s'assura que les appareils du monitoring fonctionnaient correctement, vérifia que le masque à oxygène était bien en place. Avant de partir, elle caressa la main de la femme inconsciente et lui murmura :

— *Gute nacht, meine schöne*[21] !

---

[21] Bonne nuit, ma belle !

Elle sentit un très léger mouvement de la main de l'inconnue, si fugace qu'elle crut avoir rêvé. Pour en avoir le cœur net, elle réitéra son souhait de bonne nuit et attendit une réaction, les yeux rivés sur la main qu'elle avait pensé sentir bouger, mais rien ne se produisit. Alors, elle secoua la tête et sortit de la pièce. Elle en parlerait à sa collègue lors des transmissions plus tard, aux premières heures du jour.

***

Florent avertit ses parents qu'il rentrerait le surlendemain. Jean convint d'aller le chercher à l'aéroport de Carcassonne.

Au domaine Latour, personne n'osait prendre la parole. Chacun gardait pour soi ses tristes pensées. La découverte du médaillon de Sophie avait plombé le moral de tous. Marie pleurait dans sa chambre et Jean se sentait incapable de la réconforter, incapable de trouver les mots qui la consoleraient. Il les avait tous usés à force de les répéter en vain. Qu'on ait retrouvé le collier de sa fille marquait la fin de ses illusions. Il imaginait avec douleur Sophie emportée par un tourbillon si violent, qu'il avait cassé sa chaîne autour de son cou. À partir de quand, se sentait-on mieux ? Combien de temps devait s'écouler encore avant qu'ils aient moins mal ? Perdre un enfant n'était pas dans l'ordre des choses. N'y avait-il pas quelque part une baguette magique pour annuler le mauvais sort et régler le problème une bonne fois pour toutes ?

Florent les avait prévenus que Matthieu prolongeait son séjour pour continuer à chercher. Il leur avait également appris que ce dernier était fou amoureux de Sophie et qu'il était épouvantablement accablé.

Marie n'avait pas été surprise par cette annonce, elle s'en doutait depuis un bon moment. Mais elle était tellement dévastée d'avoir perdu sa Sophinette qu'elle peinait à poursuivre sa vie habituelle. Pourtant, elle savait que d'autres personnes comptaient sur elle et qu'elle les aimait également. Mais qu'y faire ? Son chagrin était inextinguible. Elle pleurait jour et nuit. Tout la ramenait à son enfant chérie. Elle entretenait le pavillon de sa fille, allait aérer chaque jour parce qu'au cas où, il fallait que Sophie sentît l'air de son cher maquis en entrant.

Camille avait bien essayé de la dissuader, mais avait fini par renoncer, comprenant que sa belle-mère avait besoin de ces gestes anodins pour continuer à vivre. Elle n'essayait même pas d'imaginer la violence, la monstruosité, que représentait la perte de son enfant. Elle qui pouvait dorloter les siens à chaque instant, ne comprenait que trop bien Marie.

***

Matthieu se retira tôt dans sa chambre. Il avait besoin de réfléchir, de se retrouver un peu seul pour penser à Sophie. Il ne voulait la voir que bien vivante, riant en inclinant un peu la tête en arrière, dansant, courant dans les rangées de ceps, repoussant du bout des doigts ses longs cheveux blonds derrière son oreille.

Otto n'avait rien appris de plus à la clinique où il était retourné dans l'après-midi. Il savait juste qu'une jeune femme inconnue, blonde aux yeux verts s'était avérée être allemande et sortait de l'hôpital le lendemain pour regagner sa famille. Il restait une autre femme non identifiée, mais elle était dans le coma. Personne n'avait pu lui décrire la couleur de ses cheveux ni de ses yeux.

Il était harassé de fatigue, comme tous les membres de la famille. Les journées passées au vignoble pour tenter de sauver ce qui pouvait l'être, ajoutées aux recherches vaines, entraînaient une pression permanente, usante pour l'organisme et le moral. Il prévint ses parents qu'il ne viendrait pas ce soir. Il voulait passer une soirée en tête à tête avec Léonore, tenter de se détendre et de penser à autre chose. Même si c'était un peu égoïste, il en avait besoin et sa femme aussi.

Chapitre 10

Dès la fin de son service, l'infirmière de nuit compléta le dossier des transmissions à l'intention de ses collègues qui prenaient la relève. Pour la patiente inconnue, elle tint à insister auprès de l'infirmière-chef. Elle ne pouvait décrire précisément ce qu'elle avait perçu, c'était une impression très subtile, mais elle était pratiquement sûre d'elle.

Chaque personne dans le coma était surveillée de très près, aussi l'infirmière-chef enregistra-t-elle très sérieusement ces informations. L'avenir préciserait s'il s'agissait bien des prémices d'un réveil.

En cascade, ces informations furent transmises au médecin-chef lors de sa tournée. Il écouta avec grand intérêt le récit de la soignante avant de pénétrer dans le service.

La patiente reposait paisiblement. Un léger frémissement de l'électrocardiogramme laissait présager un réveil imminent. Elle était toujours parfaitement immobile. Seul le bruit des machines perturbait le silence de la chambre.

Lukas Müller décida de vérifier par lui-même. Il lui retira son masque à oxygène, lui prit la main et demanda à la malade de serrer la sienne si elle l'entendait. Il ne se passa rien. Le docteur ne se découragea pas et recommença. Il l'appela à nouveau, en variant l'intonation. N'obtenant décidément aucune réaction, il procéda à la vérification de la blessure du crâne. Pendant qu'il déroulait le bandage, les longs cheveux apparurent. Il vérifia les plaies du cuir chevelu et demanda à l'infirmière de les nettoyer puis de les laisser à l'air libre. Pour les pansements sur les yeux, il préférait que son collègue ophtalmologiste vînt s'en occuper lui-même. Avant de quitter la chambre, il refit une nouvelle tentative auprès de la femme. Hélas, il ne pouvait pas s'attarder davantage. Il recommanda aux infirmières de bien surveiller cette patiente et de le tenir au courant de la moindre évolution.

L'infirmière s'attarda auprès de la femme pour lui prodiguer les soins nécessaires, tout en lui parlant tranquillement. Avant de partir, elle replaça le masque à oxygène sur le visage émacié et caressa encore une fois la main à la peau si fine qu'elle laissait apparaître les veines en de longs sillons bleutés.

En activant ses relations outre-Rhin, Matthieu réussit à obtenir l'autorisation d'embarquer à bord d'un des hélicoptères de la *technisches hilfwerk*[22], tôt ce matin-là. Par chance, un des jeunes sauveteurs était parfaitement bilingue. Ainsi le capitaine Lartigue ne fut-il pas complètement isolé lors du vol. L'hélicoptère suivait une route qui sembla étrange à Matthieu. Il avait l'impression très nette de tourner en rond. Lorsqu'il questionna Helmut, le jeune sauveteur, celui-ci le lui confirma, ce n'était pas une impression. Les cercles décrits furent de plus en plus resserrés jusqu'à l'héliport, environ une heure plus tard. Sur la totalité de l'espace observé depuis le ciel, le spectacle était le même. Désolation n'était pas un mot assez fort. Un véritable carnage avait eu lieu. Les vignobles qui enorgueillissaient autrefois la région de la Rhénanie-Palatinat étaient irrémédiablement abîmés, saccagés. Les belles demeures étaient comme recouvertes de boue, sales extérieurement. Mais l'on imaginait sans peine les dégâts colossaux à l'intérieur. Des arbres étaient déracinés, cassés, couchés au sol. Tout était dévasté. Matthieu sentait son cœur se serrer à l'idée de toutes les victimes blessées ou mortes. Tous ces gens perdus... Sophie faisait partie du lot et il n'y pouvait rien... Tant de jours s'étaient écoulés depuis ce sinistre seize juillet deux mille vingt-et-un qu'il n'était pas près d'oublier. Si un espoir subsistait, il était si ténu que le jeune homme perdait souvent courage. Pourtant, il était toujours là, il continuait malgré tout. Il s'accrochait à cette conviction, aussi fragile qu'un fil arachnéen.

---

[22] Protection civile allemande.

Helmut lui expliqua que l'on retrouvait encore quotidiennement des victimes. Toutes n'étaient plus que des cadavres. Plus aucune personne en vie n'avait été extirpée des décombres depuis plusieurs jours maintenant.

En milieu d'après-midi, l'ophtalmologiste de la *Dr von Ehrenwallsche klinik* vint vérifier l'état de la malade inconnue qui était toujours dans le service de soins intensifs. Quand il entra dans le box, il remarqua immédiatement les longs cheveux blonds épars sur le drap. Il ôta délicatement les pansements qui couvraient les yeux de la femme allongée. Un très léger frémissement des paupières le fit stopper net ses gestes médicaux. La patiente agita très légèrement une main. Elle avait toujours les yeux clos. Cependant, il demanda à l'infirmière qui l'accompagnait de bien vouloir biper le docteur Müller. Avant d'entreprendre une visite plus poussée, il tenait à ce que Lukas fût près de lui pour pallier un réveil possiblement rapide et difficile. Il savait par expérience que le masque qui l'aidait à respirer pourrait l'oppresser et qu'elle risquait d'être certainement dans le flou à cause des rafales d'oxygène inhalées. Il ne voulait surtout pas qu'elle prît peur. Après tout, Lukas Müller était une des rares personnes qui lui parlaient tous les jours.

Lukas arriva au pas de course entre deux patients venus en consultation. Il salua rapidement son confrère qui lui rapporta ce à quoi il venait d'assister. Ce dernier préféra poursuivre ses visites et revenir plus tard, lorsque le réveil serait effectif. D'ailleurs, les paupières papillotaient, les doigts bougeaient de plus en plus. Le docteur Müller se pencha un peu vers elle, souleva une paupière et découvrit une pupille verte. Doucement, il l'appela :

— *Meine Dame ? Wie geht es Ihnen*[23] *?*

Les paupières tressaillirent une nouvelle fois.

Sans se départir de son calme habituel, il réitéra sa question. Il prit la main abandonnée sur le drap, la serra un peu dans la sienne. Il

---

[23] Madame ? Comment allez-vous ?

continuait à la stimuler de la voix, sans précipitation, lui témoignant beaucoup de douceur. Au bout de quelques appels, alors qu'il s'apprêtait à recommencer, un œil vert s'entrouvrit, puis l'autre. Lukas continuait à lui parler avec gentillesse.

La jeune femme le regardait, mais semblait ne pas le voir. Seuls ses yeux paraissaient avoir repris vie. Aucune autre partie de son corps ne bougeait.

Lukas lui expliqua où elle était et pourquoi. Puis il voulut connaître son nom.

La femme inconnue le fixait et ses yeux s'agrandissaient un peu plus à chaque phrase prononcée par l'homme qui lui faisait face. Elle voulut parler, mais quelque chose sur son visage l'en empêchait. Elle leva péniblement sa main jusqu'à sa bouche et essaya d'enlever ce qui la gênait.

L'infirmière se dépêcha de retirer le masque à oxygène que la patiente venait de toucher. Délicatement, elle lui souleva la tête et fit glisser l'élastique par-dessus les cheveux blonds, puis elle essuya la bouche de la jeune femme avec une compresse humidifiée tout en lui souriant. Les yeux verts ne la quittaient pas. La jeune femme semblait suivre avec attention chacun des mouvements de la soignante. L'infirmière avait l'habitude des regards appuyés des patients. D'aucuns cherchaient du secours, certains un appui auquel se raccrocher et la majorité d'entre eux du réconfort.

Lukas poursuivit son questionnement :

— *Wie heissen Sie ?*[24]

La jeune inconnue le regarda, l'air perdu. Elle ne comprenait pas ce qui se passait, ni où elle était. Que faisait-elle là dans ce lit d'hôpital, avec ces médecins qui lui parlaient dans une langue qu'elle ne comprenait pas ? Une bouffée d'angoisse la submergea. Elle voulut se redresser mais dut y renoncer par manque de force.

Elle laissa retomber sa tête sur le lit et ferma les yeux pour calmer l'étourdissement qui l'avait gagnée.

---

[24] Comment vous appelez-vous ?

Les deux personnes autour du lit tentaient de l'apaiser. Ils avaient bien compris qu'elle paniquait et que le réveil paraissait compliqué pour elle. Lukas continua à lui parler à voix basse, tranquillement, pour ne pas l'effrayer davantage.

L'inconnue rouvrit les yeux et les regarda tour à tour.

— Qui êtes-vous ? leur demanda-t-elle. Où suis-je ?

L'air médusé de l'infirmière l'inquiéta et elle prit peur. Que lui était-il arrivé ? Et pourquoi ne se souvenait-elle de rien ?

Lukas enregistra avec une immense surprise que sa patiente était probablement française puisqu'elle s'exprimait dans cette langue. Il se creusa un peu les méninges pour faire jaillir quelques mots appris pendant ses années estudiantines. Tenir une conversation lui paraissait impossible mais il fallait rassurer cette jeune personne, alors, avec effort et un accent improbable, il offrit quelques mots à la patiente.

— *Vous être dans hôpital. Vous malade longtemps. Ton nom, tu sais ?*

Ce mélange de vouvoiement et de tutoiement aurait certainement amusé la jeune femme, en d'autres temps. Mais être étrangère dans un lieu inconnu et ne se souvenir de rien était une source de stress énorme pour elle.

— Je ne sais pas ! avoua-t-elle, la voix brisée par l'angoisse. Je ne me souviens de rien, haleta-t-elle.

Soudain, les larmes jaillirent sans qu'elle pût les retenir. La boule qu'elle avait au fond de la gorge grossissait et menaçait de l'étouffer. À présent elle hoquetait, le corps entier secoué par des spasmes.

L'infirmière contourna le lit et s'approcha d'elle. Elle lui tendit un paquet de mouchoirs en papier, l'invitant à se servir avec un bon sourire. Puis elle lui proposa un verre d'eau que l'inconnue prit sans réellement avoir conscience de ce qu'elle faisait.

De son côté, Lukas était bien ennuyé par ce chagrin qu'il n'était guère en mesure médicale d'endiguer. Il s'assit sur le lit et posa doucement une main sur l'épaule mince de l'inconnue. Il lui semblait que les pleurs redoublaient. L'inconnue gémissait. Elle essayait de se calmer mais n'y parvenait pas.

Lukas la prit contre lui en lui caressant doucement le dos. Il savait que les réveils pouvaient s'avérer périlleux, mais cette jeune inconnue l'émouvait bien plus qu'il ne l'aurait pensé. Elle paraissait tellement désespérée. Elle devait se sentir si seule, abandonnée. Ce qui l'inquiétait aussi, c'était cette perte de mémoire. Il ne pouvait prendre ça à la légère. Le traumatisme subi par la jeune femme était important. Une batterie d'examens plus approfondis se révélait impérative désormais. Il devait dépêcher sa consœur psychiatre pour dresser un premier bilan.

Au bout de quelques minutes, elle se redressa. Son visage était rouge, zébré par les larmes. Elle se moucha discrètement, essuya ses yeux et s'obligea à respirer profondément pour calmer son angoisse. Il ne fallait pas qu'elle s'affole, tout allait s'arranger. Dans une minute ou deux, la mémoire lui reviendrait. Alors pourquoi son cœur battait-il aussi fort ? Elle avait beau se creuser la cervelle, elle ne retrouvait pas son nom. Et si elle avait perdu d'autres facultés ? Pouvait-elle marcher ? Aussitôt assaillie par cette nouvelle question angoissante, elle voulut vérifier immédiatement.

Encore une fois, Matthieu rentra bredouille chez les Hofmann. Tant bien que mal, il essayait de faire bonne figure. C'était si difficile de parler, de manger, même de se lever le matin. Difficile de continuer à vivre sans son amour perdu. Il ne lui restait plus que quelques jours de congés. Après il serait obligé de rentrer en France. À cette simple idée, le découragement le gagnait. À quoi bon reculer encore l'échéance ? Il se rendait bien compte que ses attentes toujours déçues et ses recherches tout aussi vaines le minaient, le consumaient à petit feu. Cette histoire d'amour, même pas commencée, le détruisait lentement mais sûrement. Il salua gentiment Ottilie qui guettait son retour, appuyée à la porte-fenêtre. Depuis la cour, il lui fit un signe de la tête. Le simple fait d'avouer encore un nouvel échec dans sa quête, fût-ce de loin et par un léger balancement de la tête, fit monter quelques larmes à ses yeux.

Ottilie serra les mains sur sa poitrine et se retourna vite pour que le jeune homme ne vît pas son visage se décomposer. Elle essayait de tenir bon pour lui, mais c'était chaque jour de plus en plus éprouvant. Jamais, ils ne retrouveraient la jeune Française. Entretenir vainement l'illusion était au-dessus de ses forces. Depuis cette catastrophe, tout était devenu difficile. Leur exploitation était saccagée. Dieter ne le lui disait pas, mais elle subodorait que l'entreprise était en danger. Les couples formés par leurs fils vivaient aussi du travail sur l'exploitation. Il fallait continuer à payer les salaires des employés, rembourser les emprunts et continuer à vivre, malgré cette chappe de plomb qui pesait sur eux. Elle soupira et se dirigea vers sa cuisine. Ce soir, elle cuisinerait encore pour réconforter tout le monde. S'il n'y avait actuellement aucune joie dans leurs vies, au moins y aurait-il du plaisir à être à table.

***

Florent raccrocha son téléphone, la boule au ventre. Matthieu venait de lui faire un compte-rendu détaillé de sa journée, comme chaque soir depuis maintenant une dizaine de jours. Et la charge lui revenait de contacter le domaine Latour. Il redoutait à l'avance d'avoir encore à leur annoncer que Sophie restait introuvable. Il ne supportait plus d'avoir sa mère au téléphone. Elle pleurait tant que c'était un crève-cœur.

Son frère l'avait averti que le médecin de famille lui avait prescrit des antidépresseurs et que trop souvent, elle était en mode zombie.

Le séisme allemand avait provoqué de graves répercussions sur le massif de la Clape. Marie ne s'occupait plus de ses petits-enfants, elle n'en était plus capable. Jean disparaissait du matin au soir dans ses vignes. Il ne supportait plus de voir sa femme dépérir, alors il fuyait. Gabriel et Camille étaient aussi submergés de chagrin mais le travail les maintenait debout, coûte que coûte. Les deux petits avaient été confiés à la garde des autres grands-parents. Ils manquaient terriblement à leurs parents, mais comment faire autrement ?

Chapitre 11

Mi-août 2021

Réunie autour d'un repas, la famille Müller discutait de choses et d'autres. L'ambiance était légère, ponctuée souvent par les éclats de rire de Lili. Ce qui rassurait ses parents.

La jeune fille allait de mieux en mieux. Petit à petit, elle semblait avoir dépassé l'épisode traumatisant qu'elle avait vécu. Elle avait décidé de changer de tête et était partie chez le coiffeur *illico presto*. Sa nouvelle coupe au carré mettait en valeur son petit visage. Elle semblait beaucoup s'amuser à repousser d'un coup de tête ses cheveux blonds pour dégager son front. Ses yeux noisette brillaient tandis qu'elle projetait différentes sorties avec ses copains, tantôt à la piscine, tantôt chez l'un ou l'autre…

Annelie s'était inquiétée de ce trop-plein d'activités, craignant que sa fille unique ne cherchât qu'à s'étourdir pour mieux occulter le choc subi lors des inondations. Lukas l'avait rassurée, après en avoir discuté avec son confrère psychologue, que Lili avait accepté de consulter sans rechigner.

Il aurait aimé que tous les maux de ses patients fussent résolus aussi vite. Notamment pour la jeune inconnue française. Il espérait que la psychiatre l'aiderait à démêler tous les nœuds. D'expérience, il savait que la mémoire était comme un écheveau dont il fallait trouver le début pour pouvoir, peu à peu, dérouler le fil.

Sur ces inquiétudes récurrentes, il retourna à la *klinik* prendre son service. Comme il se dirigeait vers la chambre deux cent dix-huit, dans laquelle avait été installée l'inconnue depuis sa sortie du coma, il croisa le docteur Eva Johannes, la psychiatre de l'hôpital, qui en revenait, escortée par une personne inconnue de Lukas.

En s'arrêtant au beau milieu du couloir, Eva Johannes fit les présentations. La personne était traductrice et avait assisté la psychiatre lors de son bilan auprès de la jeune Française.

— Alors ? Comment va-t-elle ? s'enquit Lukas, ne réussissant pas à masquer son intérêt particulier pour cette parturiente.

— Elle ne se souvient de rien. Je pense qu'il s'agit d'un syndrome de stress post-traumatique. Au vu de ses multiples blessures, elle a dû craindre pour son intégrité physique. Ça lui a causé un énorme choc, d'où, sans doute, son amnésie rétrograde. Je lui ai prescrit quelque chose pour calmer son angoisse et je repasserai la voir dans la semaine. Il faudrait lui trouver une maison de convalescence pour qu'elle se remette au calme. Je vais voir ce que je peux faire. En ce moment, les places sont chères, hélas. Il y a de nombreuses personnes qui en ont besoin.

Quelque peu rassuré sur le sort de l'inconnue, Lukas se rendit enfin dans la chambre.

La Française était assise, le dos soutenu par le lit relevé. Elle regardait la télévision dont le son était coupé. Il ne servait à rien qu'elle le laissât, elle ne comprenait pas un mot de ce qui était dit. Elle avait réalisé qu'elle était en Allemagne, mais ne savait toujours pas pourquoi. Ses doigts ne portaient aucune trace d'une quelconque bague ou alliance. Elle supposait donc qu'elle n'était pas mariée. Elle se demandait quand même si quelqu'un la recherchait. Que lui était-il arrivé ? Cette question lancinante la hantait jour et nuit. Une chose était sûre, elle avait été victime d'un accident mais dans quelles circonstances, elle l'ignorait. Quand elle entendit frapper à la porte de sa chambre, par réflexe, elle se redressa un peu. Le gentil docteur qui avait assisté à son réveil était là. Il lui sourit et elle lui rendit son sourire.

La conversation était laborieuse. Lukas égrenait difficilement un français scolaire quelque peu oublié. Cependant, il s'acharnait à poursuivre. Il voulait savoir beaucoup de choses dont elle-même ignorait tout, telles que son nom, son âge... Tant d'éléments si anodins quand on n'a pas perdu la mémoire, mais qui devenaient une torture quand elle était en fuite.

Lukas prit la décision de « baptiser » l'inconnue. Il ne pouvait continuer à l'appeler « l'inconnue de la chambre deux cent dix-huit ». Alors qu'il se creusait les méninges pour trouver un nom adéquat, son regard se porta sur le dossier accroché au pied du lit sur lequel il avait écrit lui-même *unbekannt* en lettres majuscules.

— Ubie ? C'est bien pour toi ? la questionna-t-il maladroitement.

— Oui... Pourquoi pas ? Oui, Ubie c'est bien ! répondit-elle sans grand enthousiasme.

Ce nom n'était certainement pas le sien, mais en attendant mieux, elle devrait s'en contenter. La consonance ne lui rappelait rien du tout. De toute façon, elle ne se rappelait pas si elle connaissait une fille s'appelant Ubie, alors ce serait au moins original !

Vaguement soulagé, Lukas quitta la chambre et poursuivit ses visites.

La désormais Ubie s'appuya contre l'oreiller et reprit le cours des images télédiffusées, en essayant de faire le vide et de ne pas chercher à tout prix à se souvenir. La psychiatre lui avait expliqué qu'il fallait laisser les choses suivre leurs cours tranquillement et aussi sereinement que possible. Selon elle, la mémoire lui reviendrait, mais il ne fallait rien brusquer. Ses yeux se fermaient presque tout seuls. Ubie sentait le sommeil l'envelopper.

Sur l'écran, la scène se déroulait apparemment dans une colonie de vacances ou un centre de loisirs. Des enfants jouaient en riant. Ubie releva un peu la tête, une drôle de sensation l'étreignait. Voir ces enfants lui procurait un sentiment de déjà-vu. Peut-être était-elle monitrice ou éducatrice ou professeure ? Lassée par ces questions sans réponses, elle reposa la tête sur l'oreiller et ferma les yeux.

Inlassablement, Matthieu poursuivait ses investigations. Il décida de tenter une nouvelle fois sa chance auprès des hôpitaux. Dieter lui rédigea une lettre explicative qu'il pourrait montrer à ses interlocuteurs. Ainsi n'eut-il pas besoin de déranger encore Otto ou Klaus, qui l'accompagnaient volontiers jusqu'à présent.

Il décida de commencer par la *Dr von Ehrenwallsche klinik,* qui se trouvait à quelques rues de la maison des Hofmann.

L'infirmière avait bien rappelé le jeune Hofmann, mais n'avait pas pu lui fournir de renseignement précis. Lors de cet appel téléphonique, l'administration en était encore au stade de comptabiliser et d'organiser au mieux les hospitalisations. Elle n'avait pas su lui dire si Sophie était arrivée chez eux ou pas.

Ne perdant pas courage, Matthieu se gara dans la rue et allongea le pas jusqu'à l'accueil, où les mesures drastiques avaient été un peu allégées. Il ne put pénétrer que dans le hall où il dut montrer patte blanche. L'hôtesse d'accueil lui sourit aimablement et lui adressa un flot de paroles incompréhensibles. Matthieu l'arrêta d'un geste de la main et lui tendit la lettre rédigée par Dieter.

Quoiqu'un peu surprise, la femme lut avec attention ce qui était rédigé et demanda un instant à Matthieu.

Ce *ein moment, bitte,* on le lui avait tant dit que toute traduction était désormais inutile quand il l'entendait. Résigné, il alla s'asseoir sur les sièges qui faisaient face au comptoir. Sa tête était pleine de Sophie, rien d'autre ne franchissait son esprit. Sophie riant, Sophie marchant dans les rangées du vignoble familial, Sophie nageant dans la mer... Sophie... Sophie...

***

Le cœur lourd, Florent avait repris son service auprès des sapeurs-pompiers. Il n'avait guère le temps de s'attarder sur le drame dans lequel était plongée la famille depuis ce seize juillet de malheur. Les interventions se succédaient. Les incendies émaillaient leur quotidien. Chaque jour, et plusieurs fois, l'alarme retentissait et les camions démarraient à toute allure. Il s'en voulait de n'avoir pas réussi à sauver sa petite sœur. Rien ne pourrait le lui faire oublier. À quoi servait qu'il fût sauveteur ?

Matthieu le tenait au courant jour après jour. Son temps en Allemagne était désormais compté. Il devait rentrer lui aussi pour reprendre le travail. Florent savait combien il lui en coûtait et quel désespoir était le sien à l'idée d'abandonner définitivement Sophie en sol étranger, sans jamais savoir quel avait été son sort.

Au château Latour, plus rien n'allait de soi. Jean, qui refusait de devenir un umarell, travaillait presque comme d'habitude et s'était résolu à demander à son maître de chai s'il acceptait de rester au moins jusqu'aux prochaines vendanges. Le gel subi en avril avait mis à mal de nombreux ceps. Cependant, les vendanges pouvaient encore être sauvées. Mais sans Sophie occupant ses fonctions, la vinification poserait problème. Il avait mis tant d'espoir dans le rôle que tiendrait sa fille chérie au sein de l'entreprise familiale. Il s'inquiétait beaucoup et plus encore pour son épouse. Marie ne réussissait pas à surmonter cette épreuve, elle se laissait couler, littéralement.

***

Ubie émergea de son sommeil et s'étira en souriant. Puis elle prit conscience de l'endroit où elle se trouvait et son sourire mourut sur ses lèvres. Le téléviseur diffusait toujours une émission inaudible. Dehors, le soleil illuminait les pelouses salies par la boue et les parterres qui avaient dû être pleins de fleurs multicolores avant les inondations. Un rayon jouait avec ses cheveux. Elle en sentait la chaleur sur son crâne. Elle se leva presque sans effort pour se rendre aux toilettes. Sa tête ne tournait presque plus, mais elle dut se tenir au mobilier pour se déplacer. Elle ne voulait pas déranger une infirmière pour se déplacer, mais, surtout, elle voulait voir son image dans le miroir. Peut-être se reconnaîtrait-elle… La première vision qu'elle eut de son reflet dans la grande glace de la salle de bain ne lui dit rien. Elle se rapprocha de la surface lisse et froide de la glace et inspecta minutieusement chaque parcelle de son visage. Elle ne reconnut pas les yeux verts, non plus que les pommettes hautes et pas plus la bouche charnue. Elle ne reconnut rien. Elle était face à une inconnue. Seuls les cheveux longs lui donnèrent encore cette impression de déjà-vu. Une image fugace de cheveux bruns lui apparut encore. Elle voyait une fille brune avec de longs cheveux. L'image était floue, sans temporalité ni espace.

Après cette première inspection, Ubie n'était guère plus avancée. Était-ce le soleil qui mettait du baume à son pauvre cœur ? Toujours est-il qu'elle décida de ne pas se soucier, pour le moment, de son amnésie. Vu les bleus qu'elle avait encore un peu partout, elle avait probablement de la chance d'être encore en vie et s'attachait à cette pensée positive plus qu'à toute autre.

À petits pas prudents, elle regagna son lit et s'empara de la télécommande de la télévision. Elle fit défiler les chaînes, espérant en trouver une en langue française. Hélas, toutes étaient germaniques. Avec résignation, elle tenta de comprendre grâce aux images de quoi il s'agissait. Elle repéra la série « Rex » qui était aussi largement diffusée en France. Les voix originales n'avaient rien à voir avec les doublages français. C'était assez étrange ! Elle zappa sur une autre chaîne et eut une sensation étrange en voyant des images d'inondations dramatiques, de maisons dévastées. Le reportage semblait couvrir un épisode récent si elle en croyait les dates qui s'affichaient sur les images. Elle était mal à l'aise, son cœur battait plus vite et elle ne savait pas pourquoi. C'était un peu angoissant. Elle pressentait que cela la concernait, mais les pièces du puzzle qui constituaient sa vie étaient mélangées et elle ignorait où se trouvait le premier morceau, celui qui réveillerait sa mémoire éteinte.

Elle était navrée à l'idée que sa disparition n'inquiétait peut-être personne. Elle redoutait d'être seule au monde. Comment ferait-elle quand elle devrait quitter cet hôpital ? Où irait-elle ? Vers qui ? Elle se doutait qu'elle avait une relation avec la France, mais laquelle ? D'où venait-elle, de quelle région ? Et comment était-elle arrivée en

Allemagne ? Et pourquoi ? Toutes ces questions virevoltaient dans sa tête et elle enrageait de n'avoir aucun début de réponse à leur apporter.

Elle ferma les yeux pour calmer son esprit en ébullition et tenta de trouver un certain apaisement en respirant profondément.

En voyant revenir vers lui la personne de l'accueil, Matthieu se leva nerveusement et mit une main dans sa poche. Le contact avec l'écran froid de son smartphone lui fit immédiatement du bien. Quelque chose de familier auquel se raccrocher était réconfortant. Il fixait la femme avec une attention qui aurait pu paraître inquiétante. Il se doutait qu'il avait peut-être l'air d'un psychopathe, mais l'anxiété le terrassait et il n'y pouvait rien.

Calme, souriante, la femme lui fit comprendre de le suivre. Elle le conduisit jusqu'au bureau d'un médecin, s'il en croyait l'étiquette placardée sur la porte.

Ainsi donc, il allait rencontrer un docteur. Il était impatient de savoir pourquoi. Il ne pouvait retenir ce soupçon d'optimisme qui fleurissait en lui. Pourquoi rencontrer un médecin si ce n'était pas parce qu'ils avaient retrouvé Sophie ? Pourvu qu'elle fût en vie !

Lukas Müller arriva d'un pas rapide et salua Matthieu en français, ce qui soulagea instantanément ce dernier. Les deux hommes s'assirent de concert de part et d'autre du grand bureau de bois blond, passablement encombré de divers dossiers.

Lukas s'avança et croisa ses mains sur le bureau. Il devait d'abord se renseigner sur cet homme et sur ses intentions avant de lui parler d'Ubie. Il se devait d'être prudent.

Chapitre 12

Le cœur de Matthieu battait vite, trop vite. Ses mains étaient moites. Il tentait de contenir son impatience et n'y parvenait que très difficilement. Au prix d'efforts inimaginables pour ce copilote de canadair pourtant habitué aux missions d'urgence, il parvint à regarder calmement le médecin qui lui faisait face. Il nota les cheveux grisonnants, les yeux marron pleins d'empathie. Il ne réussit pas à lui donner un âge précis, sans doute autour de la petite cinquantaine, peut-être davantage.

Ce court laps de temps permit également à Lukas d'étudier son interlocuteur. Le regard franc du jeune homme lui plut. Il semblait sincère.

En français toujours un peu laborieux, le médecin se présenta brièvement. D'un seul coup, les épaules de Matthieu se détendirent. Un dialogue était possible ! Le docteur parlait sa langue.

Lukas prit un dossier posé sur son bureau et l'ouvrit. Il chercha un instant parmi les feuillets qui le composait et en extirpa une photographie qu'il présenta à Matthieu.

Sous le coup d'une intense émotion, Matthieu ne put répondre immédiatement. Lukas fronça les sourcils, craignant de s'être trompé à propos de la jeune femme que cet homme recherchait. Il avait pourtant bien cru qu'il s'agissait d'Ubie.

— Pas elle que vous cherchez ? questionna-t-il néanmoins.

— Si ! C'est bien elle ! souffla Matthieu, encore sous le choc d'avoir enfin retrouvé sa Sophie et qu'elle fût bien vivante.

Malgré les plaies et les bleus sur son visage, il n'y avait aucun doute. C'était bien Sophie. Les yeux verts semblaient regarder le photographe sans le voir. Son air absent surprit Matthieu et lui serra le cœur. Qu'avait-elle subi pour qu'elle perdît son air habituel si chaleureux ?

Il s'en fallut de peu pour que Matthieu arrachât la photo des mains du docteur et l'appliquât sur sa bouche. Il se retint à grand-peine de rire ou de pleurer, il ne parvenait pas à identifier sereinement l'émotion qui l'étreignait et qui était à son paroxysme.

— *Ach gut*[25] ! Je suis content, déclara le docteur Müller.

Il lui restait encore à expliquer au jeune homme ce qu'il savait d'Ubie, c'est-à-dire peu de chose. Et surtout, il devait lui révéler son amnésie. Parfois, l'entourage avait du mal à comprendre que la personne ne le reconnût point. Péniblement, en cherchant beaucoup les termes adaptés, il réussit néanmoins à donner les informations nécessaires

Ainsi Matthieu apprit-il que Sophie était hospitalisée presque depuis le début de la catastrophe, qu'elle était restée longtemps dans le coma et qu'elle venait de reprendre conscience. À la joie affichée de Matthieu dont les yeux brillaient de bonheur, Lukas dut, hélas, tempérer son enthousiasme. Avec la délicatesse nécessaire, il expliqua qu'Ubie avait sans doute eu peur pour sa vie et que son cerveau oubliait volontairement cet épisode pour la protéger. Elle souffrait d'amnésie dissociative. C'était une sorte de syndrome post-traumatique.

— Oui, je comprends, mais elle est vivante ! affirma le jeune Français, en joignant les mains.

— *Ja,* mais elle a tout oublié. Peut-être elle ne connaît pas vous…

— Je peux la voir ? réussit à demander Matthieu, après avoir dégluti péniblement.

Lukas comprenait parfaitement l'impatience du jeune homme mais tenait vraiment à le prévenir qu'une désillusion était envisageable. À moins qu'en le voyant, la mémoire revînt subitement à Ubie.

---

[25] Ah bon !

— *Ja,* je montre la chambre, lui dit-il en se levant.

Il parcourut les couloirs avec Matthieu tout en continuant à discuter avec lui. Il apprit qu'en réalité Ubie s'appelait Sophie, qu'elle vivait dans le sud de la France et il déduisit des yeux pétillants et des explications dithyrambiques du jeune français qu'il était fort épris de sa patiente.

Ubie regardait avec attention les images qui défilaient sur son poste de télévision. Encore les mêmes images de désolation dues à des crues. Subitement un flash-back la prit au dépourvu. Elle se voyait dans de l'eau, comme si une rivière l'emportait sans qu'elle ne pût rien y faire. Cette image, si fugace fût-elle, la mit mal à l'aise. Sa respiration s'était accélérée et la sensation désagréable perdura un peu jusqu'à ce qu'un coup frappé à sa porte la sortît de sa torpeur.

— Entrez ! *Eintreten !* répondit-elle.

Depuis quelques jours, elle repérait les mots usuels qui pourraient lui servir et s'employait à les enregistrer dans sa mémoire. Après tout, se disait-elle flegmatiquement, son cerveau avait libéré plein de place, alors autant l'utiliser.

Son visage s'éclaira à la vue du docteur Müller. Il était accompagné d'un inconnu masqué dont elle ne voyait que les yeux marron. Peut-être le psychologue dont lui avait parlé le docteur Johannes ?

Dès qu'il entra dans la chambre, Matthieu n'eut qu'une envie, celle de prendre la jeune femme dans ses bras. Mais Lukas Müller l'avait prévenu qu'elle ne le reconnaîtrait peut-être pas, alors il attendit. Il se rendit compte que l'avertissement du médecin était bien réel. Elle ne manifesta aucune réaction quand elle croisa son regard, bien qu'elle lui eût souri poliment. Elle ignorait qui il était. Cela l'atteignit et le perturba beaucoup. Alors qu'il avait vécu sur un petit nuage lorsqu'elle avait répondu à son message, il lui fallait admettre que tout était à recommencer. Mais peut-être que cette fois-ci elle ne répondrait pas à son amour. Hélas, dans ce cas, il devrait faire son deuil de cette romance avortée. Il soupira en haussant les épaules. Il devait se convaincre que le seul fait d'apprendre qu'elle était vivante était suffisant à son bonheur. Même si c'était très dur...

Le docteur Müller lui rappela qu'il portait un masque et qu'il devait montrer son visage à la jeune femme.

Une petite bouffée de chaleur envahit Matthieu. Tout n'était peut-être pas perdu. Elle ne pouvait pas reconnaître quelqu'un dont elle ne voyait qu'une partie du visage. Vite, il enleva le masque bleu pâle et attendit une réaction.

Hélas, aucune ne vint de la part de Sophie qui faisait fonctionner son cerveau à plein régime. Malheureusement, il tournait dans le vide !

Le jeune Audois attendit patiemment que Lukas entamât la conversation avec elle. Personnellement, il ne sentait pas capable d'engager un dialogue. Trop d'affect nuirait à Sophie et il ne voulait pas brusquer les choses ni risquer de la bouleverser.

— Ubie, ce monsieur vous cherche depuis longtemps, commença Lukas en s'approchant du lit.

Il prit la main de la jeune Française. Il la sentait trembler dans la sienne, tel un oisillon dont le corps palpitait. Ubie ne répondit pas et regarda plus attentivement Matthieu en levant davantage la tête. Il était grand. Les courts cheveux bruns, les yeux noisette, la barbe de trois jours, la bouche charnue, le sourire amical... il était beau, très beau même ! Mais elle ne le connaissait pas. Elle avait beau se creuser la cervelle, elle ne voyait pas dans quelles circonstances ni où ni quand elle l'avait rencontré. Quelles relations entretenaient-ils tous les deux ? Elle secoua la tête plusieurs fois et reporta son regard sur le docteur.

— Qui est-ce ? chuchota-t-elle sans plus regarder Matthieu, soudain gênée de ne pas savoir de qui il s'agissait.

Lukas se retourna vers Matthieu et lui fit signe de s'approcher plus près du lit.

— Tu peux dire qui vous êtes, proposa-t-il à Matthieu.

Le jeune français se racla la gorge et s'approcha au plus près de Sophie. Il se retenait toujours de la toucher.

— Je suis Matthieu Lartigue. On est amis depuis toujours.

Il hésitait entre chaque phrase.

— Je travaille avec ton frère Florent. Je te cherche depuis plusieurs semaines.

Il temporisait la poursuite de ses révélations, somme toute anodines, ne sachant pas si elles étaient suffisantes. Il jeta un coup d'œil au médecin, qui lui fit signe de la main d'attendre avant de continuer.

Ubie avala sa salive, se redressa un peu sur son lit, mal à l'aise. Quand elle reprit la parole, sa voix n'était plus qu'un murmure. Les deux hommes tendirent instinctivement le cou vers elle pour mieux entendre ses paroles.

— Je ne me rappelle pas... J'ai un frère alors ?... Je suis désolée, je ne vous reconnais pas, balbutia-t-elle.

— Tu as deux frères, Florent et Gabriel. Gabriel a une femme et deux enfants.

Ubie enregistrait les informations. Ainsi elle avait une famille. Quelqu'un s'était inquiété pour elle, quelqu'un l'avait cherchée.

— Pourquoi c'est vous qui me cherchez ?

Matthieu chercha l'appui du docteur. Jusqu'où pouvait-il aller dans les révélations ? Lukas hocha la tête, alors il répondit :

— On t'a cherchée avec Florent, mais il a dû rentrer en France pour reprendre le travail à la caserne. Moi je suis resté pour continuer à te chercher.

— Il est militaire ?

— Sapeur-pompier, comme moi.

— Ah !

Elle s'appuya de nouveau contre l'oreiller, croisa ses bras sur sa poitrine et ferma les yeux quelques secondes.

Lukas en profita pour toucher le bras de Matthieu, puis il mit un doigt sur ses lèvres. Le jeune Lartigue comprit le message. Pour aujourd'hui, il n'y aurait pas d'autres informations. Sophie devait enregistrer les nouvelles peu à peu. Il était inutile de la noyer dans une multitude de souvenirs qui ne lui appartenaient plus.

— Comment je m'appelle ? demanda-t-elle en rouvrant les yeux.

Avant de répondre, Matthieu consulta du regard le médecin, qui opina du chef.

— Sophie... Sophie Latour.

Elle fixa un instant Matthieu, lui sourit et referma les yeux. Ce nom ne lui disait rien du tout. Pas plus qu'Ubie. Mais au moins avait-elle un vrai patronyme. Un moment s'écoula avant qu'elle reprît ses questions. Matthieu osait à peine respirer. À l'instar d'un funambule, il se sentait suspendu dans le vide.

— Où est-ce que je vis ? insista-t-elle.

— Tes parents sont viticulteurs à Gruissan, dans le sud de la France. Tu vis avec eux.

En entendant ces dernières paroles, Sophie se sentit immensément soulagée. Elle ne vivait pas ici, dans ce pays dont elle ne parlait pas la langue. Gruissan ne lui évoquait pas grand-chose, mais le sud de la France oui. Le soleil, la mer, la chaleur. Un vrai sourire, cette fois, s'étira sur ses lèvres et se maintint quand elle reposa sa tête sur l'oreiller et referma les yeux.

En aparté, Matthieu demanda au médecin l'autorisation de rester auprès de Sophie jusqu'à la fin des heures de visite. Lukas hésita un peu et finalement, jugea que ce pourrait être profitable à sa patiente qui se sentait si seule depuis qu'elle avait repris ses esprits. Le sentiment d'abandon la quitterait peut-être si le jeune français restait avec elle.

Matthieu ôta son blouson et approcha le fauteuil du lit de Sophie. Elle n'avait pas rouvert les yeux. Il supposa qu'elle s'était endormie et il n'osa pas faire de bruit. Il mourait d'envie de lui prendre la main et luttait de toutes ses forces contre ce désir que Sophie pourrait juger inapproprié.

Pour tenter de penser à autre chose, il décida de prévenir tout le monde par SMS qu'il avait enfin retrouvé Sophie. Il ne donna pas d'autres détails sur son état de santé, si ce n'est qu'elle était bien vivante. Il serait toujours temps de leur apprendre son amnésie.

Combien de temps passa-t-il à fixer le visage de sa bien-aimée ? Il l'ignorait. La jeune femme dormait tranquillement. Il se surprit à aligner sa respiration sur la sienne qui était si calme. Il se secouait de temps en temps parce qu'il sentait l'envie de dormir le gagner. Après tant de jours passés à désespérer, à ne pas dormir, c'est comme si tout son corps se relâchait d'un seul coup. Le soulagement intensifiait cette détente. Il lui semblait qu'il reprenait vie. Enfin !

Cependant malgré ses efforts méritoires, subrepticement, le sommeil le gagna.

Quand Sophie rouvrit les yeux, elle vit immédiatement le jeune homme endormi. Il était assis dans le fauteuil et appuyait ses bras, dans lesquels était cachée sa tête, sur son lit. Elle distinguait les courts cheveux noirs et une partie du profil qui émergeait des bras. Elle put l'observer tout à loisir, cherchant quelque chose qui provoquerait un déclic dans sa mémoire endormie. Elle ne reconnaissait pas cet homme pourtant il l'émouvait. Était-ce l'abandon qu'il manifestait en dormant tout près d'elle ou autre chose, elle n'aurait su le dire. Ainsi qu'il l'avait fait pour elle un peu plus tôt, Sophie ne bougea pas afin de ne pas le réveiller. Étrangement, elle se sentait en confiance avec lui.

Le téléviseur diffusait toujours des images en sourdine. Sophie les regardait défiler sous ses yeux sans avoir réactivé le son. De temps en temps, son regard revenait se poser sur l'homme endormi. Matthieu... Ce nom ne lui disait rien mais une douceur inattendue s'emparait d'elle quand elle y pensait.

Son instinct lui disait que Matthieu allait l'aider et qu'elle pouvait compter sur lui. C'était une sensation très étrange de se dire que l'on pouvait compter sur quelqu'un dont on avait tout oublié. Elle aurait aimé qu'il lui racontât tout sans plus attendre. Mais pour le moment, il dormait profondément.

***

Marie, la main sur sa poitrine, dut s'asseoir immédiatement. Elle avait envie de crier devant la savoureuse violence de ce SMS. Le message de Matthieu, même s'il était très succinct, venait de la ressusciter. Elle avait besoin de quelques minutes pour calmer les battements désordonnés de son cœur. Elle se releva enfin et partit à la recherche de Jean qui était certainement au milieu des vignes, comme chaque jour. Elle savait qu'il ne prenait pas son téléphone portable quand il travaillait au vignoble depuis qu'il lui était arrivé par deux fois de l'égarer. Elle courut aussi vite qu'elle put pour le prévenir. Cette heureuse nouvelle semblait lui avoir rendu toute la vigueur qu'elle avait pourtant crue définitivement enterrée.

En chemin, elle croisa Camille et Gabriel qui arrivaient en courant eux aussi. Manifestement, tout le monde était averti. Les congratulations attendraient qu'ils aient rejoint Jean. Gabriel prit sa mère par la main pour qu'elle ne tombât pas tandis qu'il l'entraînait un peu plus vite.

Immédiatement, Marie pensa que tout allait rentrer dans l'ordre, que les petits Victoire et Alexandre, pour le moment toujours chez les parents de Camille, reviendraient au domaine et que leur vie à tous pourrait reprendre comme avant la disparition de sa Sophinette.

Chapitre 13

Depuis que la bonne nouvelle leur était parvenue, Marie avait retrouvé tout son entrain et ne se lassait pas de franchir le seuil de la maison de sa fille adorée. Elle ne cherchait pas à trouver des prétextes, elle laissait libre cours à son envie de s'imprégner de l'ambiance chaleureuse qu'avait créée Sophie. Elle touchait avec des picotements au bout des doigts les coussins aux couleurs vives épars sur le grand canapé d'angle, en retapait un au passage. Elle déplaçait de quelques centimètres la Giulia étrusque qui étirait son long corps fin tel un Giacometti sur le bout de canapé, tout près de la lampe de salon, œuvre unique d'une artiste locale.

Elle imaginait leurs retrouvailles chargées à ras bord d'émotion. Elle voyait déjà le sourire lumineux de sa Sophinette en retrouvant son intérieur si propre et bien rangé. Depuis l'annonce, elle avait épousseté, aspiré, lavé tout ce qui pouvait l'être à l'intérieur de cette maison. Désormais, elle attendait avec impatience le retour de sa fille. Cependant, elle avait du mal à admettre que Sophie avait tout oublié. Et plus encore, qu'elle ait pu LES oublier !

Jean aussi avait retrouvé le sourire. Pour sa plus grande joie et un soulagement affiché, tous les projets concoctés avec ses deux enfants travaillant avec lui redevenaient d'actualité. Sophie reprendrait le poste qui l'attendait depuis son départ pour ses longues études et tout serait comme avant. Il ne voulait surtout pas envisager que l'amnésie dont elle souffrait pût modifier durablement ces projets d'avenir.

Gabriel et Camille étaient immensément soulagés. La disparition de Sophie les avait précipités au bord de l'abîme. Il leur avait été quasiment impossible d'en parler à leurs deux jeunes enfants. Ils avaient tenu à les protéger le plus possible. De la même façon, ils évitaient le sujet avec les parents de Gabriel qu'ils sentaient au bord de l'effondrement, tant personnel que professionnel.

Florent avait retrouvé sa joie de vivre. Plus que jamais, il se persuadait que lorsque l'on désirait ardemment quelque chose, en s'en donnant les moyens, on réussissait. La preuve n'était-elle pas le retour prochain de sa petite sœur ? Son nouveau credo deviendrait à coup sûr : ne jamais renoncer !

Quant à Juliette, la première nuit après l'appel de Gabriel avait été un peu meilleure que d'habitude. Le matin suivant, elle s'était levée avec le sentiment d'être libérée de chaînes qui la retenaient prisonnière à Ahrweiler. Depuis cet appel téléphonique, elle aussi revivait. Ses projets, jetés aux orties après son voyage en Allemagne, refaisaient surface. Elle était convaincue que la chance lui sourirait et avait décidé de ne plus tarder pour relancer son plan de carrière dans le Bordelais.

Tout un chacun trépignait d'impatience en attendant le retour de leur Sophie. D'autant plus que le docteur Müller s'était opposé à ce qu'ils la joignissent par téléphone ou visio. Sophie ne se souvenait de rien de sa vie à Gruissan et il préférait qu'elle rencontrât réellement ses proches, plutôt que de faire leur « connaissance » par écran interposé.

***

Depuis que Sophie avait rencontré cet ami français dont elle ignorait tout, elle se surprenait à attendre sa venue avec impatience. Sitôt son petit déjeuner avalé, sa toilette faite, elle le guettait depuis la fenêtre de sa chambre, située idéalement face au parking de la *klinik*. Elle ne se posait pas de questions à ce sujet. Elle s'en posait bien suffisamment par ailleurs. Elle n'avait envie que d'une seule chose : profiter des bons moments. Elle ignorait toujours les détails de ce qu'elle avait traversé. En revanche, Matthieu lui avait raconté ce qu'il savait de « l'accident ». Elle était assez lucide pour se rendre compte qu'elle avait échappé à la mort. Alors tant pis pour tout le reste, dorénavant elle profitait ! À présent, lorsqu'elle regardait les reportages à la télévision, les images de la catastrophe lui devenaient familières. De temps en temps, elle éprouvait cette sensation bizarre de déjà-vu. Le psychologue lui avait expliqué que c'était normal, qu'il ne fallait pas chercher à en savoir davantage. La mémoire lui reviendrait petit à petit, peut-être par bribes. Elle devait être patiente. Pour le moment, elle n'avait rien d'autre à faire que d'attendre. Sa chambre à la *klinik* était comme un petit cocon dans lequel elle se reposait, se laissait dorloter et peu à peu s'épanouissait. Elle commençait à maîtriser les quelques mots d'allemand nécessaires à son quotidien. Pour le reste, le docteur Lukas, comme elle l'appelait, s'occupait de tout. Il l'avait prise sous son aile et elle se laissait faire.

Matthieu, c'était autre chose. Confusément, elle sentait que quelque chose les liait, une certaine connivence qu'elle ne s'expliquait pas. Mais comme avec le docteur Lukas, elle se laissait porter.

Matthieu venait chaque jour, déjeunait avec elle et repartait à la fin de la journée, lorsque la sonnerie marquant la fin des visites le rappelait à l'ordre.

Il était gentil, voire affectueux, l'appelait « ma puce ». Ses yeux semblaient vouloir se noyer dans ceux de Sophie. Elle en était parfois un peu gênée, ne sachant pas quels étaient les tenants et les aboutissants de leur relation. D'ailleurs, en avaient-ils une ? Par timidité, et sans doute un brin de peur, elle n'osait pas lui poser franchement la question. Elle pressentait une intimité entre eux, mais de quel ordre ?

À ses autres questions, Matthieu répondait de son mieux. Le docteur Lukas lui avait bien recommandé de ne brûler aucune étape. Alors, il dévoilait quelques éléments et retenait les autres. Ainsi Sophie avait-elle appris qu'elle était ingénieure et s'apprêtait à intégrer l'entreprise familiale avant son stage en Allemagne.

Si elle fut surprise, elle n'en montra rien, se contentant d'enregistrer l'information. Matthieu ne poursuivit pas sur ce sujet, pensant qu'elle n'avait pas envie de savoir... Quand il s'en inquiéta auprès de Lukas, celui-ci le rassura. Il était assez sain que Sophie n'enregistrât les informations qu'avec parcimonie. Trop de renseignements à la fois auraient pu la submerger et ajouter à son angoisse.

Connaissant la gourmandise légendaire de sa belle, il lui apportait régulièrement des petites douceurs, qu'elle dégustait avec délectation, les yeux pétillants de plaisir. Il ne se lassait pas de la regarder.

Ottilie Hofmann obtint l'autorisation de lui rendre visite. Elle aussi dut baisser son masque sanitaire pour que Sophie pût la voir et peut-être la reconnaître.

Le visage poupin et souriant de la femme parut familier à Sophie. Elle lui sourit à son tour et lui tendit la main pour qu'elle s'approchât du lit. Ottilie s'avança et prit avec force la main que Sophie lui tendait. Un flot de paroles s'envola de ses lèvres que ni Sophie ni Matthieu ne comprirent. Pourtant, Sophie aurait juré qu'elle connaissait cette voix. Elle chercha un petit moment à restituer cette personne. Mais sa mémoire flancha encore une fois. Ottilie leur avait apporté de l'*appfelstrüdel* qu'elle déballa sur la table à roulettes devant le lit de Sophie. Elle installa les assiettes en carton, les petites cuillères en bambou et les serviettes en papier sur lesquelles tourbillonnaient des feuilles de vigne et quelques grappes de raisin violet.

Sophie ne quittait pas des yeux Ottilie, suivait ses gestes, enregistrait toutes les informations qui lui étaient présentées. Quand son regard se porta sur les serviettes en papier, elle en saisit une et du bout de l'index suivit le contour des feuilles. La forme un peu dentelée la touchait particulièrement, mais elle n'aurait pas su expliquer pourquoi.

Le parfum du gâteau aux pommes qu'Ottilie venait de placer devant elle sur la table roulante lui rappelait quelque chose. Elle ferma vite les yeux pour prolonger cette impression bien trop fugace à son goût. Elle inspira profondément, le nez plongé sur l'*appfelstrüdel*. Quand elle rouvrit les yeux, elle vit que Matthieu et Ottilie la regardaient attentivement, semblant attendre un déclic, une révélation... Peine perdue. En signe de dénégation, elle haussa les épaules mais garda le sourire. Elle se sentait enveloppée de bienveillance et de délicatesse avec eux deux. La vie en dehors de cette chambre d'hôpital l'inquiétait grandement, mais ici, c'était un nid douillet dans lequel elle pouvait lisser ses plumes sans peur.

Le docteur Müller lui avait appris que d'ici quelques jours, elle pourrait quitter la *klinik*. À cette simple évocation, son cœur avait battu plus vite et une sorte de bouffée anxieuse l'avait saisie. Lukas lui avait appris à respirer calmement en fixant un point précis dans la chambre pour chasser ses peurs. Se concentrer sur un objet lui réussissait assez bien. Cela lui permettait d'évacuer les doutes et les appréhensions qui obstruaient sa gorge et menaçaient de l'étouffer.

Ce matin, Matthieu décida de lui parler un peu plus de sa famille, de son cher massif de la Clape, de son vignoble à perte de vue. Il ne lui restait que très peu de temps avant de rentrer et de reprendre son service au SDIS. Il espérait que quand elle se retrouverait au milieu de son contexte habituel, la mémoire lui reviendrait plus facilement. Et surtout, il ne voulait pas laisser Sophie derrière lui. Plus jamais !

Elle découvrit calmement les visages de ses proches sur le téléphone portable de Matthieu. Elle s'attarda assez longuement sur les photos jusqu'à mémoriser le prénom associé à l'image. Patiemment, le jeune homme lui répétait inlassablement les prénoms, répondait aux questions qu'elle ne manquait pas de lui poser sur l'âge, l'activité de chaque protagoniste, les relations entretenues entre les uns et les autres. Elle était immensément soulagée que les relations familiales fussent si bonnes, aux dires de Matthieu. Apprendre qu'elle devait réintégrer une famille, dont elle ne se souvenait pas, mais qui s'entendait si bien et s'aimait aussi fort était un vrai soulagement.

Les photos du château et du domaine évoquèrent une drôle de sensation à Sophie. Il lui semblait connaître parfaitement le château.

— Y a-t-il une grande cuisinière à l'ancienne dans la cuisine ? demanda-t-elle à voix basse.

Muet d'étonnement, Matthieu se reprit bien vite et répondit oui.

— Tu t'en souviens ?

— Il me semble que je vois très bien cette grande cuisinière avec des boutons dorés. Je ne sais pas si c'est réel, mais je me vois en train de faire des crêpes, ajouta-t-elle, cherchant dans les yeux de Matthieu une confirmation de cette vision.

Il lui sourit à pleines dents, lui attrapa une main pour y déposer des baisers sonores.

— Oui, ma puce, c'est vrai. Tu adores faire des crêpes sur le piano de tes parents. Tu dis toujours que cuisiner avec le gaz est bien plus facile qu'avec ta table de cuisson tout électrique.

L'enthousiasme de Matthieu était communicatif. Elle rit avec lui. Et puis elle notait, enfin, sa première victoire sur sa mémoire défaillante. Le premier vrai souvenir était arrivé, fût-ce celui d'une cuisinière à gaz et de crêpes ! Cela lui remonta aussitôt le moral. C'était possible ! Elle pouvait se souvenir ! ça reviendrait ! Elle voulait s'en persuader et s'y accrochait avec force.

Ce moment joyeux les avait rapprochés. Matthieu s'assit sur le lit plus près d'elle, il passa un bras derrière ses épaules. Elle appuya sa tête sur son bras et, avec surprise, goûta sincèrement cet instant de complicité.

Ils continuèrent à regarder les photos que Matthieu glanait ici et là sur les réseaux sociaux. Il répondait à ces interrogations, espérant que quelque chose d'autre lui reviendrait. Mais il dut se rendre à l'évidence, le souvenir de la maison familiale fut le seul à émerger.

Cependant, un rapprochement indéniable avait eu lieu entre eux et Matthieu regagna la maison des Hofmann le cœur en fête.

Sophie garda son petit sourire jusqu'à l'extinction des feux. Elle se sentait légère, apaisée. Était-ce le rapprochement sensible avec Matthieu ou le souvenir émergé des ténèbres qui lui faisait tellement plaisir ? Elle ne réussit pas à vraiment les dissocier. Ils allaient de pair. L'un et l'autre pour toujours gravés dans sa nouvelle mémoire. Cette idée accentua sa gaieté.

Cette nuit-là, elle dormit mieux que d'habitude. Elle ne fit aucun cauchemar.

Chapitre 14

Le temps était venu de quitter l'hôpital et le docteur Müller. Sophie était partagée, indécise, craintive... Un flux d'émotions contradictoires lui étreignait le cœur depuis la veille. C'était comme si elle plongeait dans le grand bain, ignorant à l'avance si elle saurait nager. Elle s'était beaucoup raccrochée au docteur Lukas. Or depuis l'arrivée de Matthieu, le médecin tenait à ce qu'elle reprît sa vie en main et l'avait finalement autorisée à partir.

Dès le feu vert donné, Matthieu avait réservé les billets d'avion pour ramener Sophie à la Clape. Une fois la décision prise, il respirait enfin beaucoup mieux. Il avait eu tellement peur qu'elle ne voulût pas repartir avec lui ! Il se doutait que Sophie était apeurée. Il faisait de son mieux pour lui insuffler confiance et assurance. Quelles seraient ses réactions en retrouvant ses proches ? Il était d'ores et déjà impatient de lui tenir la main pour l'accompagner. Il n'avait pas osé lui dire tout l'amour qu'il lui portait. Il pensait que l'essentiel pour Sophie était ailleurs en ce moment. Il l'entourait de toute sa tendresse et elle l'acceptait avec plaisir, lui semblait-il. C'était merveilleux de la voir rire, parler. Vivre tout simplement ! La curiosité à propos de sentiments plus intimes viendrait peut-être. Du moins, l'espérait-il.

Ils passeraient les deux jours suivants chez les Hofmann. La boucle devait être bouclée avec cet épisode allemand. Et elle passait forcément par Dieter et Ottilie. Matthieu misait beaucoup sur ces deux jours. Il y aurait peut-être d'autres flashs, d'autres visions...

Contrairement à ce qu'avait espéré Sophie, la maison familiale des Hofmann la laissa de marbre. La belle vieille demeure bourgeoise ne lui évoqua rien du tout, pas plus que les meubles massifs qu'elle avait pourtant tellement admirés lors de son arrivée à Ahrweiler voici bientôt deux mois.

Ottilie la guida jusqu'à la chambre qu'elle occupait avant le cataclysme où son hôtesse avait tout laissé en place.

Sophie observa avec curiosité les effets qui lui étaient montrés comme étant les siens. Un pull-over rouge cerise abandonné sur une chaise capitonnée l'attira comme un aimant. Elle s'en empara et le plaqua contre son visage. Un subtil parfum s'en dégageait. Sophie ferma les yeux, comme chaque fois qu'elle voulait se concentrer pour remettre en marche sa mémoire.

Pourquoi cette foutue mémoire restait-elle enfouie au fond de son cerveau ? Sophie en aurait pleuré de découragement.

Pour l'heure, l'odeur du pull-over, bien qu'agréable, ne raviva aucun souvenir. En revanche cette couleur ! Elle fixait le pull sans le lâcher. Une sorte de vision la déconcerta. Ce pull rouge posé sur un siège dans un aéroport où elle se voyait consultant un billet d'avion. C'était si fugace qu'Ottilie ne s'aperçut même pas de ce qui venait de se passer.

Elles rejoignirent Matthieu et Dieter qui les attendaient au salon devant un verre de vin rouge local.

Immédiatement, Matthieu sentit que quelque chose était arrivé. Il se leva et lui prit la main pour la guider jusqu'au canapé sur lequel ils s'assirent côte à côte. Discrètement, il la questionna :

— Ça ne va pas, ma puce ? Qu'y a-t-il ?

Sophie hésita un peu, mais Matthieu paraissait réellement inquiet, alors elle lui confia ce qu'elle venait de vivre.

Instantanément, il fut soulagé. Comme l'avait prévu le psychologue de la *klinik,* la mémoire revenait par bribes. Sophie ne le quittait pas des yeux, attendant sans doute une explication. Dieter le devança gentiment.

— Quand vous êtes arrivées début juillet, il pleuvait et il faisait un peu froid. Tu avais un pull-over rouge quand je suis venu à l'aéroport. Je l'ai remarqué tout de suite. Ça doit être ça.

— Vraiment ? Donc c'est un vrai souvenir... ça me rassure, réagit la jeune femme en retrouvant le sourire.

— Oui, c'est bien ! Tu vois, ça va aller, cesse de t'inquiéter, lui souffla Matthieu en lui caressant doucement le bras.

— Allez pour fêter cette bonne nouvelle, buvons ! C'est un bon pinot noir. Tu vas voir Sophie. Tu vas te régaler !

Par Matthieu, Sophie savait que le vin était son domaine. Depuis son « accident », elle n'en avait pas bu, aussi était-elle impatiente de tenter cette nouvelle expérience. Mine de rien, elle mettait beaucoup d'espoir dans cette dégustation. Elle rêvait que dès la première gorgée chaque souvenir lui revint. Tant bien que mal, elle tentait de maîtriser son impatience.

Tout naturellement, elle plongea son nez sur le verre en cristal pour en humer le breuvage. Dans un silence de cathédrale, elle le porta à sa bouche et le gruma, les yeux fermés.

Quand elle rouvrit les yeux, elle s'aperçut que les trois personnes autour d'elle la regardaient sans mot dire.

— Quoi ? les questionna-t-elle.

Ils éclatèrent de rire en même temps qu'ils applaudissaient. Sophie ne comprenait pas ce qui se passait. Elle crut qu'ils se moquaient d'elle et se renfonça dans son siège en baissant la tête.

Matthieu mit fin à son embarras et lui passant un bras autour des épaules, puis il lui expliqua ce qui avait provoqué leur joie.

— Tu as retrouvé tes réflexes d'œnologue ma puce. Tu l'as senti puis grumé. Seule une spécialiste comme toi fait ça. C'est formidable !

Sophie réalisa qu'en effet, elle n'avait pas eu besoin de réfléchir avant de goûter le vin. Ses gestes étaient sûrs, acquis. Ils lui étaient facilement revenus. Encore une victoire à son actif ! Le cœur gonflé de joie et de reconnaissance, elle rit avec eux et décréta que le vin était excellent !

Ottilie avait encore une fois mis les petits plats dans les grands. La choucroute pantagruélique présentée mit l'eau à la bouche de tous les convives.

Sophie s'étonna d'avoir autant d'appétit. Les petites victoires remportées la délestaient de quelques peurs et autres angoisses. Les actions comme parler, manger et rire redevenaient simples et naturelles. C'était si bon de se laisser vivre et de profiter de ces petits moments précieux, surtout quand on avait tout oublié de sa vie d'avant.

Les enfants Hofmann vinrent prendre le café. Dieter refit les présentations pour la jeune Française et lui expliqua toutes les recherches entreprises avec ses fils pour la retrouver.

Sophie était très émue. Elle ne put que leur dire « merci » avec sincérité, en joignant les mains.

Pour couper court aux larmes qui menaçaient de couler, Ottilie partit à la cuisine et revint avec une magnifique *Schwarzwälder Kirschtorte*[26]. Ses deux belles-filles l'aidèrent à servir en disposant les assiettes pleines d'une part généreuse de gâteau, crémeux à souhait et recouvert de copeaux de chocolat.

Avec plaisir, Sophie se rendit compte qu'elle se sentait très bien au milieu de tous ces « inconnus ». Les conversations allaient bon train, et elle y participait volontiers. Dieter et ses fils parlaient un peu de leur vignoble, de leur travail à venir avec les vendanges proches. Bien que les inondations aient eu un fort impact sur leur exploitation, certaines vignes n'avaient été que peu touchées. Cela leur permettrait de maintenir les emplois et de ne pas mettre trop à mal les finances de l'entreprise. La jeune Française écoutait avec attention, le buste penché en avant. Les termes employés, parfois très techniques, ne la rebutaient pas. Elle les comprenait. Elle visualisait même parfaitement le matériel agricole dont les hommes parlaient. Même si le bien-être l'emportait sur ses ressentis, la surprise de se sentir proche de cette famille et de leurs problèmes professionnels arrivait en deuxième position.

Pour s'aérer et profiter de cette belle journée de fin août, sur l'insistance de Sophie, il fut décidé d'aller faire un tour dans les vignes de la famille Hofmann.

---

[26] Gâteau Forêt-noire.

Matthieu craignait que ça ne ravivât des images traumatisantes à sa belle. Mais elle le rassura en lui expliquant qu'elle en avait besoin. Elle souhaitait que ça réveillât quelque chose et s'il fallait en passer par une certaine violence psychologique, elle était prête à la subir.

Ottilie lui apporta un large chapeau de paille vert pomme et une paire de lunettes de soleil.

— Oh merci ! s'exclama Sophie, quelque peu surprise par la couleur du chapeau. C'est à moi ?

— Non, lui répondit Dieter. Tu as perdu les tiens le jour de... le jour des inondations, acheva-t-il avec effort.

C'était toujours une meurtrissure pour lui. Il ne réussissait pas à parler de disparition. Ça avait été tellement dramatique, tellement violent de se retourner et de ne pas trouver Sophie.

Otto lui tapota le dos et l'entraîna dehors jusqu'à la voiture. Les deux garçons se mirent au volant de leur voiture et tout le monde prit place. Sophie et Matthieu se serrèrent l'un contre l'autre à l'arrière de la petite voiture de Klaus et Minna, tandis que Dieter et Ottilie grimpaient dans le véhicule tout-terrain d'Otto et Léonore.

Ils traversèrent Ahrweiler à faible allure. Sophie regardait avec une extrême attention tout ce qui était autour d'elle. Toujours cette bizarre sensation de déjà-vu... Elle chassa les pensées négatives qui l'assaillaient et se concentra sur les jolies maisons à colombages et aux murs multicolores. En passant devant une chapellerie, les couleurs vives des chapeaux exposés dehors lui provoquèrent soudain un flash : toujours cette fille brune aux cheveux longs, dont Matthieu lui avait dit qu'elle était Juliette, sa meilleure amie. Elle la voyait avec un chapeau rose sur la tête.

Sophie ne chercha pas à en savoir davantage. Peu à peu, elle apprenait la patience et la résilience. Elle se retourna vers Matthieu qui discutait avec Minna. Il était vraiment beau. Son profil de médaille l'émouvait.

Comme mu par un lien invisible qui les unissait, il tourna la tête vers Sophie à l'instant même où elle l'observait. Elle rougit, un peu gênée d'être prise en flagrant délit. Mais il lui fit un clin d'œil en souriant et poursuivit sa conversation avec la compagne de Klaus.

Enfin, les voitures stationnèrent le long des vignes Hofmann, tout le monde descendit et s'égaya dans les rangées bien alignées des ceps couronnés de feuilles dentelées vertes et or. La fin de l'été approchait et les couleurs automnales commençaient à se répandre. De lourdes grappes violet foncé pendaient, souvent bien cachées des oiseaux par le feuillage dense.

Sophie était étrangement sereine. Elle soupesait les grappes, approchait son nez pour les renifler, supprimait telle ou telle feuille au passage.

Les autres la regardaient faire sans oser l'interrompre. Elle arpentait la rangée entière, suivie à bonne distance cependant par Dieter et Matthieu.

— Tu vois, Matthieu, elle sait ! affirma Dieter à voix basse.

Matthieu hocha la tête, sans répondre. C'était inutile. Il voyait Sophie s'épanouir au milieu des ceps noueux et il était très heureux pour elle.

Arrivée au bout du rang, elle passa de l'autre côté et redescendit avec les mêmes gestes, le même regard affûté et professionnel. Quand, elle croisa Matthieu et Dieter qui l'attendaient au milieu du rang pour terminer au même niveau qu'elle, elle eut un large sourire.

— Je me sens si bien ici ! s'exclama-t-elle avec volubilité. J'ai l'impression que c'est chez moi.

Puis s'adressant plus particulièrement à Dieter, elle lui affirma que les vendanges seraient assez bonnes, que les grappes étaient belles et lourdes. Elle s'enquit aussi de la façon de travailler le raisin, des cuves, des fûts...

L'ingénieure était de retour ! Chacun put le constater. Rien n'était perdu, juste en sommeil.

Matthieu eut quelques frissons en pensant qu'il se proposerait bien comme volontaire pour embrasser sa princesse au bois dormant afin de la réveiller complètement. Il eut envie de la prendre dans ses bras. Le rang de ceps les séparait, hélas ! Mais Sophie était-elle prête à recevoir cette marque d'affection amoureuse ? Il n'était pas sûr de ses sentiments à elle. Il sentait un rapprochement, mais il ne savait pas de quel ordre il était. Il lui avait été facile de se rapprocher d'elle. Il était le seul français dans son entourage immédiat. Et indéniablement, en pays étranger, ça avait été plutôt facile. Le plus dur était à venir. Il se demandait s'il devait lui montrer les SMS échangés avant la catastrophe. Instinctivement, il sentait qu'il lui fallait encore un peu de patience, même si ça lui était difficile. Mais que n'aurait-il pas fait par amour pour Sophie ? Il l'aimait tant et depuis si longtemps.

Chapitre 15

Pour ce dernier jour à Ahrweiler, Sophie avait demandé à Matthieu de l'emmener visiter la ville et les alentours. Ce qu'elle n'osait pas avouer, c'est qu'elle voulait voir de ses propres yeux l'endroit où le drame avait eu lieu. Là où sa vie avait soudainement basculé. Elle appelait de ses vœux un déclic qui libérerait d'un seul coup tous ses souvenirs.

C'était une belle journée très ensoleillée, chaude, lumineuse. Le ciel affichait une teinte turquoise idéale.

Parmi les vêtements qui lui appartenaient, Sophie avait choisi une légère robe verte fleurie à bretelles. Elle ne reconnaissait aucun de ses habits. Passée cette étrange impression, il lui semblait qu'elle possédait une nouvelle garde-robe et ça ne lui déplaisait pas.

Matthieu ne put s'empêcher de siffler en la voyant, comme elle le rejoignait dans la cuisine. Elle rosit de plaisir et choisit d'en rire.

— Ta robe est de la même couleur que tes yeux ! lui glissa-t-il en s'approchant pour l'embrasser sur les deux joues.

— Merci ! tu es gentil, minauda-t-elle en baissant la tête. J'ai l'impression d'entrer dans un magasin quand je dois m'habiller. Je ne connais aucun de ces vêtements, c'est assez bizarre... poursuivit-elle en se servant une tasse de thé.

Ottilie entra dans la pièce à cet instant et secoua la tête en remarquant la jolie tenue de Sophie.

— *Schöne ! Du hast eine schöne sommerkleid !*[27] s'écria-t-elle en pointant l'index sur la robe.

---

[27] Belle ! Tu as une belle robe d'été !

N'ayant aucun des traducteurs habituels sous la main, Sophie accepta ce qu'elle comprit comme étant un compliment et remercia simplement la brave femme d'un sourire éclatant.

Ils tentèrent de maintenir une conversation franco-allemande.

Mais sans les traductions de Dieter, ce fut périlleux ! La compréhension se révéla hasardeuse, ce qui provoqua quelques fous rires de part et d'autre. La bonne humeur régnait et pour tous les protagonistes c'était bien là l'essentiel. Leur vie était redevenue quasiment ce qu'elle était auparavant, même si Sophie n'en avait pas encore retrouvé la conscience.

Les deux jeunes gens grimpèrent dans la voiture rouge d'Ottilie et Matthieu se dirigea vers le monastère de Marienthal. Sophie l'avait sollicité pour qu'il l'emmenât sur les lieux de sa disparition, mais il avait envie de visiter des endroits qui ne raviveraient aucun mauvais souvenir, aussi bien pour Sophie que pour lui. Il lui avait fait part de ses réticences. Lui n'avait pas pu oublier ce qu'il avait ressenti en se rendant sur les lieux maudits. Il avait besoin d'un peu de temps, mais comprenait parfaitement le désir de Sophie. Il retardait sensiblement l'échéance, c'était tout !

Arrivés sur les ruines, ils parcoururent lentement le site, ravis que ce fût si beau, si grandiose, si calme.

Matthieu était heureux de partager cette découverte avec Sophie. Bien sûr, il ignorait qu'elle était déjà venue ici. D'ailleurs, Sophie l'ignorait aussi, même si le point de vue sur l'immensité des vignes l'émouvait, sans raison pensait-elle.

Au loin, des personnes s'agitaient dans les vignes.

— Que font-ils ? lui demanda malicieusement Matthieu.

Après quelques secondes d'hésitation, Sophie lui répondit néanmoins d'une voix assurée :

— Ils préparent les vendanges, ils vérifient la maturité des raisins.

Matthieu ne l'avait pas quittée des yeux, ébloui par sa beauté si naturelle, heureux que sa mémoire professionnelle ne lui fit pas défaut. Éperdu d'amour pour elle, qui ne s'en doutait pas, semblait-il !

Ils croisèrent assez peu de touristes. Le mois d'août se terminait et les vacances avec, pour beaucoup de monde. Chacun se préparait dorénavant pour sa rentrée, qui au travail, qui à l'école. Matthieu ne put se retenir de s'épancher auprès de Sophie. Après tout, il avait accumulé tant de stress qu'il lui était urgent et nécessaire de se confier un peu.

— Je suis tellement soulagé que nous rentrions à Gruissan demain. Notre vie va reprendre enfin son cours.

Sophie ne partageait pas tout à fait le même soulagement. Elle appréhendait vraiment de se retrouver dans une famille inconnue. Ici à Ahrweiler, elle connaissait maintenant quelques personnes et ça la rassurait. Mais s'envoler vers un lieu inconnu où vivaient des gens qu'elle craignait de ne pas reconnaître et avec lesquels elle devrait partager un quotidien tout aussi inconnu était une véritable source d'angoisse pour elle. Mais elle n'avait pas d'autre choix. Ce qui la réconfortait malgré tout, c'était la présence de Matthieu. Du moins, pourrait-elle s'appuyer sur lui en toute circonstance. Sans qu'il le lui ait formellement dit, elle se doutait qu'il répondrait toujours présent pour elle.

— Tu ne dis rien ? insista-t-il en se rapprochant de Sophie.

— J'ai un peu peur, souffla-t-elle.

Matthieu eut un pincement au cœur et la prit dans ses bras.

— Tout ira bien, tu verras.

Sophie se laissa aller contre lui, appréciant qu'il tentât de lui insuffler un peu de sa force et de son courage.

***

Juliette proposa d'aller chercher Sophie et Matthieu à l'aéroport de Carcassonne. Mais Jean et Marie furent inflexibles. Ils tenaient à accueillir leur fille eux-mêmes. Ils ne voulaient certainement pas rater son retour en France et ne souhaitaient aucun intermédiaire entre eux pour ces retrouvailles tant espérées.

L'apéritif vigneron de la veille avait connu un franc succès. Ils avaient eu à gérer plus de clients que de réservations. La cour n'étant pas extensible, non plus que leur capacité d'accueil, Gabriel avait même dû refuser quelques personnes. Ce matin, Camille avait du pain sur la planche. Des gîtes étaient reloués pour le week-end, il fallait les préparer. La femme du village qui l'aidait habituellement était isolée chez elle avec la COVID-19. Marie l'aidait de son mieux, mais Camille dut solliciter ses parents pour venir chercher Victoire et Alexandre. Elle insista pour que ses enfants fussent présents le lendemain après-midi à l'arrivée de leur tante. Ses parents devraient faire un aller-retour, mais Béziers n'était pas si loin...

Florent attendait l'aval de son chef pour se libérer le lendemain. Le SDIS croulait sous les interventions et le personnel peinait à prendre ses jours de récupération. Fort heureusement, les incendies se déclenchaient plus rarement en cette fin d'été. Les sapeurs-pompiers étaient surmenés et Florent n'échappait pas à la règle. Toutefois, depuis que Matthieu avait retrouvé Sophie, il travaillait d'un cœur plus léger et réussissait plus facilement à se concentrer sur son travail. Il bouillait d'impatience d'être déjà au lendemain.

**

Après avoir déambulé au milieu des ruines du monastère et bien profité de la sérénité des lieux, les deux jeunes Français se résolurent à aller jusqu'à l'endroit fatidique qui avait bouleversé leurs vies et bien plus largement menacé toute l'exploitation Hofmann.

Au début, la promenade ressemblait à une très sympathique balade. Le ciel était toujours sans nuage, le soleil le transperçait de ses rayons brûlants. La végétation avait repris presque complètement ses couleurs naturelles. Les ceps étaient bien là, en rangs serrés. Ils semblaient offrir à Sophie et Matthieu une haie d'honneur, malgré les feuilles salies et le sol jonché de débris. Plus loin, le clapotis de la rivière invitait à se tremper les pieds. Les arbres qui la bordaient se balançaient avec une telle légèreté que l'on soupçonnait à peine la brise tiède.

Sans hésitation, Sophie s'engagea dans le premier rang, suivie par le jeune homme, qui était de moins en moins certain que ce retour aux sources du mal fût judicieux. Mais la jeune Audoise avançait d'un bon pas, sans se retourner. Pourtant, sa cervelle était en ébullition. Elle faisait la fière, mais au fond, elle n'en menait pas large. Elle regrettait presque d'avoir autant insisté auprès de Matthieu. Que venait-elle faire ici ? Pourquoi tenait-elle tant à se remémorer ce drame qui avait failli lui coûter la vie ? Après tout, pourquoi ne pas laisser cet épisode dans le recoin de son cerveau où il était stocké ? Réveiller sa mémoire pouvait attendre… Malgré tout, elle poursuivait sa marche, le buste en avant, la tête haute. Arrivée à la fin de la rangée, elle se retourna enfin vers Matthieu.

Immédiatement, il perçut son hésitation.

— Tu n'es pas obligée… On peut faire demi-tour, la rassura-t-il d'une voix calme.

— Non, je veux voir. Montre-moi où c'était.

Devant l'hésitation marquée de l'homme, elle insista en lui prenant la main :

— S'il te plaît, Matthieu ! Emmène-moi…

Avec un soupir, il garda sa main dans la sienne et la dirigea vers la rivière où avait basculé l'engin agricole qu'elle conduisait.

Plus un mot ne sortait de leurs bouches. Seuls les bourdonnements des insectes meublaient le silence pesant qui s'installait entre eux. Sophie ne parvenait plus à réfléchir, elle se sentait aussi molle qu'une limace repue de fraises et de feuilles grignotées. Elle s'était figée, statufiée, incapable de mettre un pied devant l'autre. Devant son impossibilité à activer ses quelques neurones encore en état de marche, elle rechercha le regard de Matthieu pour y trouver un réconfort, une aide quelconque.

Le jeune homme resserra ses doigts sur la main de Sophie qu'il n'avait toujours pas lâchée. Il s'inquiétait de son absence de réaction. Le syndrome de stress post-traumatique dont elle souffrait allait-il s'aggraver ? Il aurait dû refuser de l'amener jusqu'ici. Il s'en voulait de lui avoir imposé cette situation angoissante. Alors qu'il mettait une main dans la poche arrière de son jean, il sentit sous ses doigts le froid métal du pendentif qu'il avait retrouvé ici même. Il l'extirpa de sa poche et le présenta dans le creux de sa main à sa compagne.

— C'est à toi.

Alors que Sophie regardait le bijou sans encore oser le toucher, il poursuivit :

— Je l'ai trouvé le jour où ton frère Florent et moi sommes venus là. Nous avions l'espoir de trouver un indice, quelque chose qui nous mènerait jusqu'à toi. Florent l'a reconnu tout de suite. C'est ta grand-mère qui te l'a donné.

Sophie restait muette et continuait à fixer la médaille.

— Tanit, chuchota-t-elle en caressant le bijou du bout de l'index.

Matthieu frémit mais se tut, attendant la suite.

— C'est la déesse Tanit, reprit-elle un peu plus haut. Je la reconnais, mais je ne peux pas expliquer comment je le sais ! Tu dis que ça me vient de ma grand-mère ?

— Oui, c'est ce qu'a dit Florent.

— Je ne sais pas, je ne me rappelle pas… Même ce lieu ne me rappelle rien ! ajouta-t-elle d'une voix tremblante.

Elle semblait au bord des larmes. Matthieu ne savait pas quelle attitude adopter. Fallait-il partir ou rester ? Devait-il forcer ses souvenirs ? Il fit le choix primaire de la prendre dans ses bras. Il lui semblait que le plus important dans l'immédiat était de la rassurer, de lui offrir un apaisement face à toutes les questions sans réponse qu'elle avait en tête.

— Que veux-tu faire, Sophie ? On rentre ?

Son hochement de tête fut sa seule réponse. Il la garda contre lui, un bras passé autour de sa taille. Ils rebroussèrent chemin, silencieusement à nouveau.

Le smartphone de Matthieu rompit le silence. Ils s'arrêtèrent, et sans lâcher Sophie, le jeune homme prit l'appel de son chef.

Grâce aux quelques bribes de conversation entendues, la jeune femme comprit que Matthieu reprendrait son service aussitôt revenu sur le sol français. Elle ne mesurait pas réellement l'engagement de

Matthieu au sein de sa compagnie, mais elle avait compris qu'il avait pris beaucoup de son temps pour elle. Ça la touchait énormément, ça la questionnait aussi sur leurs relations antérieures. Elle n'osait pas lui demander ce qu'il en était. Elle subodorait un attachement, mais de quel ordre ? Sa façon de l'appeler « ma puce » laissait deviner une proximité si ce n'est une intimité. Mais il n'avait rien tenté qui aurait pu lui laisser croire à autre chose qu'à de l'affection.

Avant de rentrer pour leur dernière soirée chez les Hofmann, Matthieu lui proposa de s'arrêter en ville pour acheter un bouquet de fleurs à Ottilie et prendre un verre en terrasse quelque part. Il faisait si beau qu'il était dommage de ne pas profiter de la petite place piétonne près de la *Adenbach Gate*[28] dont on pouvait voir flotter le drapeau allemand avec l'écu écartelé qui constituait les armoiries de l'état de Rhénanie-Palatinat.

Ils prirent place autour d'une table protégée du soleil par un grand parasol publicitaire et commandèrent deux bières blondes.

La tension, induite par la proximité de l'Ahr dans les vignes, s'évapora doucement. La chappe de plomb qui les enveloppait tout à l'heure disparut enfin. Il ne resta plus que deux jeunes Français sirotant une bière fraîche à la terrasse d'un bar et bavardant de choses et d'autres.

---

[28] Porte d'Adenbach.

Chapitre 16

Septembre 2021

Le trajet de retour sur l'*autobahn* A3 permit à Sophie de découvrir les paysages de la région de Cologne. Elle avait bien enregistré qu'elle l'avait déjà parcourue dans l'autre sens, mais c'était dans une autre vie. Elle ne se rappelait rien, ni les immenses prairies, ni les troupeaux de grasses Holstein qui paissaient en toute innocence, indifférentes aux véhicules sur la voie rapide qui ne semblaient même pas troubler leur quiétude. Sa mémoire était presque vierge. Alors elle accumulait les images et les couleurs de cette fin d'été en Allemagne.

Même si Matthieu n'avait rien oublié, il regardait enfin ce qui l'environnait. Lors de son voyage aller, il était si obnubilé par la disparition de sa belle qu'il n'avait rien vu, rien admiré. Aujourd'hui, il était serein. Sophie était assise devant lui, à côté de Dieter. Elle rentrait avec lui et tous les espoirs étaient permis.

L'ambiance était facile, gaie, pleine de musique en sourdine et de bavardages frivoles. Chaque personne présente était comme délestée et avait le cœur léger. Ils étaient rendus à leur vie, celle d'avant le drame. Tout rentrait dans l'ordre, ou presque... Seule la pandémie était toujours là, comme ils le comprirent très vite à l'approche de l'aéroport au vu des nombreux rappels sanitaires compréhensibles par tous grâce aux pictogrammes.

Dieter prit Sophie dans ses bras, lui plaqua sur les joues deux baisers sonores. Il serra longuement la main de Matthieu. L'émotion était palpable, les larmes proches. Il refusa de prolonger davantage les adieux et se hâta vers le coffre de sa voiture pour en extirper les sacs des jeunes gens qu'il posa sur le trottoir devant la porte de l'aéroport. Les deux Audois se masquèrent rapidement et agitèrent la main jusqu'au départ du véhicule. Matthieu repéra un chariot sur lequel il chargea les bagages. Enfin, ils pénétrèrent dans le hall et recherchèrent le guichet pour faire enregistrer leurs sacs de voyage, puis partirent à la recherche de leur porte d'embarquement, où ils s'assirent l'un contre l'autre sur des sièges vides.

Ils ne parlaient pas. Chacun était perdu dans ses pensées.

Sophie sentait des fourmillements agiter son estomac, sa cage thoracique. Elle oscillait entre le plaisir et la peur.

Matthieu voyait et comprenait son stress. L'inconnu lui faisait peur, mais elle l'affrontait plutôt courageusement. Après tout, elle était là, avec lui, prête à s'envoler vers une nouvelle histoire à écrire.

— Je crois que j'ai peur en avion, chuchota-t-elle, plutôt surprise de le savoir.

Matthieu se retourna vers elle, lui prit une nouvelle fois la main, respira calmement, lui proposa d'en faire autant.

— Regarde-moi, lui intima-t-il gentiment. Respire avec moi. Oui comme ça. Respire profondément. Tout ira bien, je te le promets.

Pendant quelques minutes, ils respirèrent en chœur.

— Alors, tu te souviens que tu as peur en avion ?

— Oui, je crois, répondit Sophie avec perplexité. Ça, j'aurais bien aimé l'oublier, ricana-t-elle.

— Je comprends, sourit-il. Ce sont les mystères de notre cerveau ! Mais ça ira. Je suis là avec toi. Je te tiendrai la main si tu as peur. J'ai même mes écouteurs. Si tu veux, on écoutera de la musique.

***

Les parents de Sophie étaient déjà dans le hall de l'aéroport Sud de France-Carcassonne. Ils faisaient les cent pas, vérifiant à intervalle régulier que l'heure d'arrivée du vol depuis Paris n'était pas modifiée.

Marie perdait patience et imaginait que l'immense pendule digitale était en panne. Il lui semblait que les chiffres ne bougeaient pas d'un iota. Elle consultait régulièrement son téléphone portable, allait s'asseoir du bout des fesses, se relevait, faisait quelques pas, revenait s'asseoir... L'impatience chevillée au corps, elle ne tenait pas en place.

Jean, quant à lui, était plus calme, extérieurement tout du moins. Cependant à l'intérieur, il était en ébullition. Plus l'heure d'arrivée approchait, plus son cœur battait à coups redoublés. Sous le masque, il ouvrait grand la bouche pour aspirer au maximum. Il faisait tourner ses épaules pour les soulager d'un poids, certes invisible, mais bien réel cependant. Tant qu'il n'aurait pas sa fille adorée devant lui, un doute affreux subsisterait.

Ils avaient tenté de réfléchir à la meilleure façon de se comporter avec elle, si par le plus grand des malheurs, elle ne les reconnaissait pas. Ce qui était tout à fait probable d'après Matthieu qui les avait tenus au courant au jour le jour des progrès, pourtant bien trop rares, de Sophie dans la reconquête de son histoire.

Tous deux piaffaient devant la porte B qui délivrerait son lot de passagers à l'heure prévue. Plus que cinq minutes, quatre, trois...

Matthieu, suivi de Sophie, franchit enfin le sas et tous deux se retrouvèrent face aux personnes attendant les voyageurs.

Le cœur de Sophie s'était emballé sitôt son bagage récupéré sur le tapis roulant. Rien ne semblait pouvoir le calmer. Ses mains étaient moites. Elle avançait tête baissée, à demi cachée par le voile de ses longs cheveux blonds qu'elle n'avait pas attachés. Elle ne voyait ces anonymes que comme une meute cherchant à l'attraper. Absurdement, elle prévoyait un piège se refermant sur elle. Aucun retour en arrière n'était possible. Coûte que coûte, il lui fallait faire face à cette vie inconnue dans laquelle elle allait être plongée. C'était extrêmement effrayant. Elle tremblait de la tête aux pieds. Pour se calmer, elle fixait son attention sur les larges épaules de Matthieu, ne se hasardant pas à regarder alentour. Elle avait envie de fermer les yeux, comme une enfant, pour que disparussent tous ces gens.

Pour le moment, Matthieu ne s'était rendu compte de rien. Sophie était derrière lui et il ne se doutait pas qu'une telle tempête l'envahissait. Durant le vol, il l'avait encouragée, apaisée. Il lui avait tenu la main, embrassant le bout de ses doigts quand elle se crispait lors des quelques rares turbulences. Mais elle ne lui avait rien dit depuis l'atterrissage. Il la sentait inquiète, mais dans une moindre mesure. Face à eux, il aperçut immédiatement les parents de Sophie qui se haussaient sur la pointe des pieds pour les voir au plus vite. Alors qu'il se retournait vers la jeune femme pour le lui indiquer, il se rendit compte immédiatement de sa pâleur. Subitement inquiet, il s'arrêta aussitôt et lui demanda si tout allait bien.

— Non, rien ne va, hoqueta Sophie avec les yeux emplis de larmes. J'ai peur. Tous ces gens... Qu'est-ce que je vais leur dire si je ne les reconnais même pas ? J'aurais préféré aller dans ma maison avec toi tout seul. Ça me fait peur...

— Je sais ma puce. Ça va être bizarre. Mais ce sont tes parents. Ils ont été tellement inquiets pour toi... Ils auraient été trop déçus si je leur avais dit que tu ne voulais voir personne à l'aéroport...

Il lui caressait les bras dans une tentative vaine de réconfort. Sa peur avait atteint l'acmé. Elle avait besoin d'un peu de temps pour retrouver son calme, essuyer ses larmes et se recomposer un visage.

— Attends-moi là, je vais leur dire d'attendre un peu, lui proposa-t-il en la prenant dans ses bras pour la bercer.

— Non... Ça va aller ! Tu es avec moi, ça me rassure... chevrota-t-elle d'une toute petite voix.

— Allez, respire ! Ils t'aiment...

Jean et Marie s'inquiétaient derrière le cordon qui leur barrait l'accès au hall des arrivées. Beaucoup de voyageurs masqués étaient déjà sortis. Ils n'avaient pas vu leur fille ni Matthieu. Alors qu'ils s'apprêtaient à aller se renseigner, les deux jeunes gens, masqués eux aussi, apparurent enfin derrière un couple d'âge mûr qui marchait à pas menus. Tout à leur bonheur de revoir leur Sophinette, ils comprirent malgré tout que ce bonheur n'était peut-être pas partagé. Leur fille adorée marchait tête basse, presque portée par Matthieu.

Ce dernier échangea un clin d'œil avec les Latour, en espérant qu'ils ne seraient pas trop intrusifs vis-à-vis de la jeune femme, qui aurait sans doute beaucoup de mal à le supporter. Il les avait prévenus que ce retour en France était compliqué pour elle. Il souhaitait de tout son cœur qu'ils eussent bien pris la mesure de cet avertissement.

Le premier réflexe de Marie avait été de prendre sa fille dans ses bras. Mais elle comprit aussitôt que Sophie n'était pas encore tout à fait sa fille, tant la jeune femme s'était raidie. Maladroitement, malheureuse comme les pierres, Marie mit fin à son étreinte et recula de quelques pas. Sa bouche hésitait entre un sourire tremblant et ce qui ressemblait à une grimace.

Du coup, l'élan de Jean fut stoppé net.

Matthieu contourna Sophie et tenta de couper court à ce moment incroyable de gêne entre les parents et leur enfant enfin retrouvée. Il embrassa chaleureusement les Latour.

Sophie s'était enfin décidée à relever la tête et les observait, l'air de rien. Ils étaient plus jeunes que ce qu'elle avait imaginé. Plus beaux aussi, se dit-elle. Et sans logique aucune, cela lui fit plaisir. Avoir des parents pas trop âgés et plaisants était agréable, voire rassurant. Même si elle se trouvait ridicule d'avoir ce genre de pensées. Pour le moment, envisager autre chose que ces constatations purement « visuelles » était impossible pour elle. Elle ignorait tout d'eux. Lorsque la femme l'avait tenue dans ses bras, une impression olfactive l'avait titillée. Elle avait reconnu le parfum subtil de la fleur d'oranger. Mais ça avait été bien trop fugace pour en tirer quelque conclusion que ce soit.

Perdue dans ses pensées, elle ne se rendit compte que les trois autres la regardaient que lorsque Matthieu lui toucha le bras. Devant leur air interrogateur, elle comprit qu'ils attendaient une réponse. Comme elle n'avait ni entendu ni écouté la question, elle s'excusa gentiment :

— Pardon, je n'ai pas écouté…

Jean se racla la gorge, comme pour desserrer l'étau qui la coinçait, et réitéra sa demande.

— Veux-tu rentrer tout de suite à la maison ou bien veux-tu que nous allions déjeuner tous les quatre dans un bon restaurant ?

— Après tout ce temps passé en Allemagne, un bon plateau de fruits de mer aux Salins te plairait sûrement ! argumenta Marie.

Aimait-elle les fruits de mer ? Elle l'ignorait, comme tant d'autres éléments de sa vie. Mais elle ne voulait pas les décevoir davantage après sa réticence à être embrassée, alors elle accepta.

Les visages souriants de ses interlocuteurs lui confirmèrent qu'elle avait pris la bonne décision et que sa réponse leur faisait plaisir. Savoir Matthieu avec elle était rassurant. Réjouissant aussi.

Elle décida de se laisser entraîner, de ne pas tergiverser davantage et donc, fatalement, d'accepter comme les siens ces parents qui avaient l'air de tellement être attachés à elle.

Sur le parking de l'aéroport, Jean et Matthieu chargèrent les bagages dans le coffre de la voiture puis tous s'installèrent dans le véhicule où ils purent enfin enlever leurs masques.

Sophie laissa Matthieu lui prendre la main. Il sentait que son bouleversement était profond. Hélas, devant ses parents, il ne pouvait pas la réconforter comme il l'aurait voulu, au risque de les peiner un peu plus. Eux aussi devaient encaisser le choc. Et ce n'était sans doute pas facile !

Forte de ce soutien indéfectible, Sophie ouvrait grand les yeux pour ne rien perdre du panorama sur la vieille cité de Carcassonne offert aux voyageurs circulant sur l'autoroute. Son père avait ralenti exprès pour qu'elle pût l'admirer, ce dont elle le remercia timidement.

Tant de belles choses à découvrir encore lui mettaient du baume au cœur. Après tout, c'était original de devoir redécouvrir la végétation méditerranéenne, de voir scintiller la mer aux couleurs si changeantes, d'admirer au loin le pic du Canigou enveloppé de soleil. De recommencer une vie parce qu'on a oublié celle de la première fois. D'aucuns jalouseraient la chance qu'elle avait…

Aux Salins de Gruissan, la couleur rose des parcs à sel attirait les regards comme un aimant. Avant de s'installer sur les grands bancs de bois face aux tables massives, ils firent quelques pas le long des parcs.

Sophie admira la statue du squelette de poisson surgissant de l'eau. C'était simple, épuré. Ça paraissait fragile. Comme elle-même. Pourtant le poisson jaillissait de l'eau. La métaphore lui plut beaucoup…

Arrivés face à l'immense tas de sel, ils rebroussèrent chemin jusqu'au restaurant.

Une serveuse les guida jusqu'à une table ombragée par une solide pergola de bois. Elle leur laissa la carte des menus et retourna à son service.

Sophie était impatiente de goûter à la padène de fruits de mer. Elle n'avait pas osé suivre Matthieu dans son choix de cassoulet de seiche.

Malicieusement, Jean commanda une bouteille de vin blanc Château Latour. Promesse d'une vie, un peu différente peut-être, mais qui reprenait tout de même !

Chapitre 17

Camille faisait de son mieux pour contenir les ébats de ses enfants au milieu de leurs cris et leurs rires. L'énervement gagnait les petits et elle redoutait qu'ils ne se tinssent pas tranquilles lors du retour de leur tante. Elle leur avait pourtant bien expliqué la situation. Mais que pouvaient comprendre deux enfants en bas âge à une perte de mémoire, réputée fiable, d'adulte ?

Au loin, elle aperçut son mari qui revenait de ses chères vignes. Il agita sa casquette pour la saluer et accéléra le pas pour les rejoindre.

Alexandre courut rejoindre son père qui l'enleva dans ses bras et le fit tournoyer en tournant sur lui-même. Père et fils rirent de bon cœur, bientôt rejoints par Camille et Victoire qui leva les bras vers son père en le suppliant :

— Moi aussi, papa !

Enfin, la voiture franchit le grand portail majestueux du domaine, soulevant au passage un nuage de fine poussière.

Sophie voyait toutes les personnes rassemblées devant le perron, comme pour l'honorer. Cela lui fit un drôle d'effet. « C'est ma famille, paraît-il », se dit-elle *in petto*. Les heures avaient filé, diluant pourtant peu à peu ses craintes. Mais à ce moment précis où il n'y aurait pas de retour en arrière possible, elle avait beaucoup de mal à juguler son angoisse.

Matthieu l'aida en lui pressant la main et en lui souriant affectueusement. Il avait senti le changement qui s'opérait chez elle. Hélas, il ne pouvait rien faire de plus. Elle seule devait affronter cette situation. Il ne pouvait qu'imaginer les bouleversements qu'elle subissait depuis son réveil à la *klinik*. Lui, comme tout un chacun, comptabilisait aisément ses souvenirs. Avec le temps, il en perdait forcément quelques-uns et il ignorait où ils se dissimulaient. Parfois, ils revenaient. Alors, ne plus en avoir aucun... La mémoire était sélective, il le savait. Il voulait croire à la juxtaposition de sensations visuelles et olfactives, chère à Proust, pour réveiller celle de Sophie.

Chacun ayant conscience de la difficulté du moment pour Sophie, l'accueil fut tout en retenue, jusqu'à ce que Victoire et Alexandre se jettent dans les jambes de leur tante, avant que Camille et Gabriel n'aient pu intervenir. Ils manquèrent de la faire tomber. Heureusement, Jean était derrière elle et la retint. Chacun suspendait son souffle et attendait craintivement la suite.

— Tata, tu es revenue ! minauda Victoire en levant son visage poupin vers la jeune femme. Tu vas plus partir hein ?

— Moi, je veux pas que tu partes ! s'exclama Alexandre en lui enserrant les cuisses.

Sophie fut immédiatement charmée par les deux bambins. La petite fille lui ressemblait beaucoup et c'était troublant. Leur spontanéité et leur émotion la séduisaient. Elle s'accroupit pour être à leur hauteur.

Aussitôt, ils mirent leurs bras autour de son cou et l'embrassèrent bruyamment. Elle les serra contre elle et leur rendit leurs baisers.

— Pourquoi tu pleures, tata ? s'inquiéta Victoire d'une petite voix.

Sophie n'avait même pas senti les larmes couler, tant elle était submergée par une émotion, perturbante certes, mais sincère. Sentir contre elle les petits corps des enfants était une sensation céleste, parfaite. Elle ne les reconnaissait pas mais sentait qu'une attache inconnue et invisible la liait à eux.

Contrairement à ce que redoutait Sophie, ses larmes eurent un effet salvateur sur elle-même et sur l'assistance. Elle avait perdu la mémoire mais pas sa capacité à être émue aux larmes. C'était bien leur fille, leur sœur qui venait de rentrer à la maison. Ils retrouvaient son hypersensibilité et au risque de paraître sadiques, cela les réconfortait.

Si elle était capable de s'émouvoir avec ses neveux, rien n'était perdu. Tout était possible !

Marie glissa lentement sa main sous le bras de sa Sophinette, qu'elle sentit trembler. Elle pressa un peu plus fort le bras à la peau pâlie par l'isolement germanique. Leurs regards se croisèrent enfin.

Sophie crut y lire tout à la fois détresse et amour. Elle afficha un sourire fragile, les yeux verts noyés de larmes. Marie appuya un bref instant sa tête contre l'épaule de sa fille et lui murmura :

— Ma chérie, mon amour !

Sophie ne répondit pas, toujours submergée par un trop-plein de désarroi, de bouleversement. Elle se contenta de marcher tête basse à côté de sa mère, bientôt suivie par tous les autres.

Ils remontèrent la cour, puis la terrasse où une grande table était dressée à l'ombre des arbres centenaires. Le léger vent marin apportait sa note de douceur un peu moite et apaisait la chaleur cuisante du soleil. Après tous ces jours passés dans le climat océanique plus humide d'Ahrweiler, Sophie éprouvait le feu solaire sur sa peau et y prenait une certaine satisfaction. Elle ajusta sur son nez ses lunettes de soleil qu'elle avait placées sur le haut de son crâne en arrivant au domaine.

Sa famille reconnut instantanément ce geste qui lui était si personnel. Passer de l'ombre à la lumière constamment en jouant sans cesse avec ses lunettes était habituel chez Sophie. Là où d'autres auraient cherché les lunettes égarées, elle les avait toujours avec elle, en toutes saisons, même les jours pluvieux !

Tandis que tout le monde prenait place autour de la table, Camille et Gabriel s'empressèrent d'aller chercher les boissons fraîches et les petites gourmandises prévues pour ce jour de fête.

Au même moment, une voiture de sport franchit le portail dans un concert de klaxon.

— Voilà Florent ! s'exclama Jean.

Sophie tourna la tête vers ce frère qu'elle allait découvrir et dont elle avait beaucoup entendu parler par Matthieu. Suivant le fil de ses pensées, son regard rechercha aussitôt celui de Matthieu. Comme mû par une fibre invisible, il la regarda aussi et lui sourit tendrement.

— Sophie ! Tu es là ! s'enthousiasmait Florent en se précipitant vers elle. On t'a tellement cherchée avec Matthieu...

Sans retenue convenue, il la fit lever et la prit dans ses bras pour la faire tournoyer.

— Ma petite sœur est revenue ! Ma petite sœur est revenue ! scandait-il comme une mélopée.

Passé le premier moment de gêne, à présent Sophie riait de bon cœur, s'accrochant au cou de son frère.

Quand il la reposa, il lui asséna de grosses bises sur chaque joue. Sophie se laissait faire, ravie par cette spontanéité très surprenante de la part de quelqu'un que l'on ne reconnaissait pas.

Autour d'eux, les conversations allaient bon train. Les enfants n'étaient pas en reste, essayant de monopoliser leur tante en l'abreuvant d'anecdotes sur leur rentrée des classes. Elle semblait perdue dans ce tourbillon verbal et non verbal, où chaque regard était bienveillant, où chaque parole était tendre, affectueuse, où chaque geste était naturel. Et à sa grande stupéfaction, elle se sentait bien parmi ces inconnus. À sa place ! Même si elle ne savait pas encore quelle était exactement sa place. Et puis Matthieu était là, assis en face d'elle.

Il la couvait du regard, la trouvant forte, courageuse et si belle. Ce qui n'échappait pas à l'œil aiguisé de Marie. Intérieurement, elle souriait et remerciait le ciel que ce jeune homme fût si épris de sa Sophinette. Il était si gentil avec elle et fort beau garçon, ce qui ne gâtait rien...

Dès la fin de la journée, Sophie sentit grossir dans sa gorge une boule qui l'empêchait de respirer : Matthieu devait rentrer chez lui. Après avoir vécu avec lui comme seule boussole dans son nouveau monde, elle redoutait cette séparation.

Matthieu dut le sentir, car il multiplia les paroles douces, sucrées, réconfortantes comme des guimauves roses qui vous emplissent la bouche avant de fondre. Il n'osa pas, devant toute sa famille, la prendre longuement dans ses bras, mais il tenta de mettre tout son amour dans leur étreinte fugace.

— Je viendrai te voir tous les jours ma puce, promit-il à voix basse. Dès que j'ai mon planning, je t'appelle, promis !

À contrecœur, il se détacha d'elle et repartit avec Florent pour réintégrer la caserne au SDIS.

La première nuit « chez elle », en terre inconnue, fut difficile. Sophie dormit peu et plutôt mal. Elle se retourna pendant une bonne partie de la nuit avant de sombrer enfin dans un sommeil sans rêve jusqu'à une heure avancée de la matinée. Ce qui eut l'avantage de la reposer suffisamment pour qu'elle se levât de bonne humeur et pleine de courage. Sa vie devait se poursuivre, avec ses questions et ses incertitudes. Mais aussi avec tellement d'affection et d'amour autour d'elle. Elle n'était sûre de rien, mais était certaine de l'amour qu'on lui portait. Elle ne doutait pas qu'elle finirait par partager ces sentiments. C'était simple, il fallait se laisser faire et accepter qu'elle ne se souviendrait peut-être jamais de tout ce qu'elle avait perdu. Elle devait d'ailleurs sans tarder se mettre en quête d'un psychologue qui l'aiderait. Le psychiatre allemand avait bien insisté à ce sujet. Elle avait besoin de l'aide d'un professionnel.

Fidèle à sa promesse, ce dont Sophie ne doutait pas, Matthieu lui proposa de venir la chercher vers quinze heures pour l'emmener prendre un verre sur le cours Mirabeau à Narbonne.

Ce coup de fil lui fit du bien, elle l'espérait depuis son lever. Aussi prit-elle un soin particulier à sa toilette. En réintégrant sa vie, elle venait par là même de retrouver sa maison, son dressing, dans lequel elle pouvait fouiller à la recherche d'indices, de visions… Hélas ! rien ne vint sauf une sérénité, un bien-être à la vue des vêtements, des couleurs, des matières. Elle était heureusement surprise d'aimer tout ce qu'elle voyait et touchait. Elle avait bon goût et elle en était ravie !

Enfiler une robe jaune parsemée de minuscules fleurettes multicolores et chausser de fines sandales fut un des plaisirs de sa matinée. Prendre une tasse de thé avec Marie et Camille à l'ombre des platanes mûriers en fut un autre. La vie était simple, belle, douce ici. Quand Jean lui proposa de faire le tour du propriétaire, ce fut pourtant le point culminant de ce matin ensoleillé et sans nuage. Elle admira les immenses caves voûtées où elle frissonna à cause de la fraîcheur qui y régnait. Elle caressa du plat de la main les fûts alignés, lut quelques étiquettes et s'étonna presque de se sentir en terrain connu. Rien ne la surprenait. Tout forçait son admiration. L'odeur si particulière perçue titillait son cerveau, lui « parlait ». C'était une sorte de mélange de vanille, d'épices. Son père lui expliqua que c'était dû au bois de chêne des barriques. Étrangement, elle se rendit compte qu'elle le savait déjà. Elle le questionna sur la part des anges pour être sûre de ses « savoirs » qui étaient là, qui semblaient ne pas avoir disparu avec le reste.

Même s'il fut surpris, Jean n'en laissa rien paraître et accéda à sa demande :

— C'est dû aux échanges d'air, c'est la petite quantité de vin qui s'évapore du fût.

— Et on doit pratiquer l'ouillage, acheva-t-elle, sous le regard quelque peu médusé de son père.

Juliette était arrivée un peu plus tôt cours Mirabeau et tournait en rond. Elle se levait, se rasseyait pour se relever à la seconde suivante. Elle avait eu l'idée d'emporter son large chapeau fuchsia acheté à Ahrweiler, qu'elle avait posé sur la petite table ronde du café où Matthieu lui avait donné rendez-vous. Et si Sophie se rappelait ? Elle jetait de rapides et fréquents coups d'œil à son portable pour découvrir que l'heure avançait bel et bien. Pourtant trop lentement à son goût ! Il lui semblait que les minutes ralentissaient exprès leur course naturelle. Elle ne savait plus à quel saint se vouer tant l'impatience la consumait. Elle allait enfin serrer Sophie contre elle. Et cette simple étreinte allait la libérer d'un seul coup de toute sa culpabilité. Sentiment injustifié aux dires de sa mère, mais Juliette était incapable de l'entendre tant qu'elle n'avait pas Sophie en chair et en os devant elle..

C'était une belle et chaude journée de septembre. Le quai était déserté par les enfants qui étaient retournés à l'école. Seuls, quelques retraités ou vacanciers de septembre profitaient de la douceur du climat et se promenaient main dans la main, coiffés de chapeaux improbables et de lunettes de soleil, sans oublier les masques. Les tenues estivales avaient encore droit de cité ici.

Pour tromper son impatience, Juliette détaillait les pieds des promeneurs et s'amusait de certains détails des chaussures d'été ou des ongles des orteils féminins peints de couleurs pailletées.

Au moment où elle s'apprêtait à encore lorgner l'heure, elle entendit son prénom crié au loin. Elle releva la tête et elle les vit. Elle stoppa net son envie de courir comme une gosse et s'appliqua à les attendre à la table qu'elle occupait depuis un bon moment.

Chapitre 18

Au passage piéton, Matthieu prit Sophie par la main pour traverser la chaussée encombrée. À gauche, le carrousel tournait lentement en déversant sa musique étourdissante. Quelques mamans assises attendaient patiemment leurs enfants juchés sur des chevaux ou autres motos. Sophie eut un léger soubresaut en le voyant. Une impression très vite passée de déjà-vu venait de la surprendre. Elle commençait à s'habituer à ce genre de sensations qui arrivaient à l'improviste, pourtant cela la troublait à chaque fois.

Le couple remonta le cours Mirabeau et s'arrêta devant Juliette qui se leva pour les saluer. Les mains enlacées ne lui avaient pas échappé. L'heure n'était pas aux questions intimes. D'ailleurs Sophie se rappellerait-elle qu'elles étaient amies et qu'elles avaient partagé moult confidences ?

L'instant de gêne ne dura pas très longtemps. Les trois jeunes gens prirent place autour de la table. Juliette prit les choses en main en hélant le serveur. D'un pas nonchalant, l'homme s'approcha de leur table et nota leur commande.

Pendant ce temps, Sophie détaillait Juliette. Sa longue chevelure brune ne lui était pas inconnue. Elle faisait partie de quelques-unes de ses visions. Se retrouver confrontée au modèle vivant était bizarre. Elle trouvait que Juliette était jolie. Son visage hâlé et ses yeux marron rieurs, tout lui plaisait. Ce qui l'interloqua le plus fut le chapeau de raphia que Juliette avait posé sur une chaise pour libérer la table. Sophie n'avait guère eu le temps de le regarder, mais cet éclat fuchsia l'avait désarçonnée. Hélas, il lui était impossible de s'expliquer pourquoi, bien sûr. Elle reporta son attention sur la belle brune qui la dévorait des yeux.

Juliette n'osait pas toucher Sophie, de peur de l'effrayer. Elle en avait tellement envie pourtant. Cependant, la voir là, assise avec elle, comme autrefois lui réchauffait le cœur. Elle devrait se contenter de ce bonheur-là pour le moment. Elle s'en rendait compte.

Machinalement, du bout de l'index, Matthieu caressait doucement le dos de la main de Sophie. Il était le spectateur d'une conversation muette entre yeux verts et yeux marron. Les deux jeunes femmes n'échangeaient que des regards. Aucune des deux n'avait pris la parole. Il finit par se racler la gorge et accentua un peu sa pression sur la main de Sophie.

Ce subtil rappel à l'ordre permit aux deux filles de se détendre. Un même léger éclat de rire les réunit enfin. Juliette s'enhardit même jusqu'à prendre l'autre main de Sophie dans la sienne pour y déposer une bise sonore.

— Tu es là ! Je n'arrive pas à y croire ! Tu m'as tellement manqué Sophie. Je n'en dormais plus…

Sophie était attentive au moindre geste, à la moindre parole. Elle comprenait l'émotion de Juliette même si elle s'y sentait intruse, étrangère. Elle était une spectatrice. Elle assistait à une scène qu'elle découvrait pour la première fois et dont elle était en partie responsable. Étrange sensation que d'être cette personne qui provoquait autant d'émotion autour d'elle ! Elle sourit à cette nouvelle « meilleure amie » et lui serra la main avec force. Elle avait des questions plein la tête et toutes se bousculaient pour sortir en même temps.

Le serveur apporta leurs consommations posées sur un large plateau rond. Sophie en profita pour respirer et se remettre de ce flot continu de perceptions. Tous ses sens semblaient en alerte. Un avis de tempête était en cours dans sa boîte crânienne. C'était un chamboulement inquiétant, contre lequel elle ne voulait pas lutter tant elle était impatiente de se réapproprier sa vie et ses souvenirs. Mais c'était impressionnant !

Elle chercha un soutien instinctif et ostensible auprès de Matthieu en recouvrant la main large et bronzée de la sienne.

Le jeune homme répondit immédiatement à cet appel, le cœur battant. Cette modeste sollicitation le retournait complètement. Il avait envie de la câliner, et bien plus si elle le lui demandait. Mais il fallait encore attendre. Au fond de lui, il espérait que Sophie se souviendrait de l'espoir qu'elle lui avait donné en répondant à son message téléphonique. Mais ça, c'était avant ! Avant qu'un raz de marée ne s'abattît sur leurs vies.

Tout doucement, le dialogue s'était noué entre les jeunes gens. Juliette avait pris le parti de parler de tout et de rien naturellement, comme avant. Elle réussit le pari de détendre l'atmosphère en un rien de temps. Elle fit même rire ses interlocuteurs en leur expliquant, avec une bonne dose d'exagération, la réaction de ses parents quand elle avait enfin osé leur annoncer ses intentions professionnelles.

— Narbonne ? Très peu pour moi ! À moi Bordeaux et ses grands châteaux. Et si je trouve un châtelain à mon goût… Bah ! je lui sauterai dessus ! conclut-elle en roulant des yeux.

Sophie riait. La faconde de cette Juliette était réjouissante. Son visage s'animait au rythme de ses paroles. Elle rendait ses paroles si vivantes que c'était un vrai plaisir de l'écouter. Pas un instant, Sophie ne douta de sa sincérité. Juliette était sans aucun doute une amie. Elle était heureuse que ce fût le cas. Et il lui tardait de s'en souvenir.

Le temps passa si vite que ce fut presque à regret qu'ils se quittèrent. Sophie devait s'acheter un nouveau smartphone et Matthieu avait proposé gentiment de l'accompagner.

Ils gagnèrent la boutique de téléphonie à la zone d'activité commerciale de Narbonne qui se trouvait sur leur chemin avant de rentrer au domaine à la Clape.

Installée confortablement dans la voiture de Matthieu, le premier numéro qu'enregistra Sophie fut évidemment celui de son chevalier servant. L'utilisation du téléphone n'avait aucun secret pour elle. Quand elle le constata, cela la rassura.

— Est-ce que tu sais si j'ai un compte sur les réseaux sociaux ?

Matthieu sourit, et lui jeta un coup d'œil rapide avant de reporter son attention sur la route.

— Oui bien sûr. Tu vas sûrement le retrouver. Ça pourrait t'aider de voir tes publications et tes photos. Tu as même créé un compte pour le domaine. Quand nous serons arrivés chez toi, je te montrerai si tu veux.

— Par hasard, tu ne connaîtrais pas un bon psy ? demanda la jeune femme, sautant du coq à l'âne.

Nouveau coup d'œil, nouveau sourire. Au moins, elle essayait de reprendre pied dans la réalité, même si ça lui faisait un peu peur.

— Je me renseignerai au SDIS. Perso, je n'en connais pas. Je te dirai.

Le court trajet fut plaisant pour tous les deux. Le poids accumulé depuis quelques semaines s'allégeait considérablement. La complicité qu'ils partageaient les rapprochait et sans rien en dire à l'autre par pudeur, ils en étaient intimement très heureux.

Matthieu fut invité à dîner avec la famille sur la belle terrasse pavée. Le repas était très simple : quelques soubressades grillées, une belle salade composée et des pêches juteuses.

Victoire et Alexandre piaillaient comme des oisillons, usant de tous les stratagèmes pour attirer l'attention de leur tante, assise en face d'eux. C'était plutôt efficace. Sophie riait et ne les quittait pas des yeux, sous le regard indulgent et tendre des autres membres de la famille.

Puis vint l'heure du coucher pour les deux enfants qui iraient à l'école le lendemain. Camille et Gabriel durent faire preuve de fermeté, tant les deux chenapans rechignaient à aller au lit.

Le calme revint autour de la table, plus propice aux échanges des adultes. Chacun racontait sa journée.

L'air de rien, Sophie était très attentive. Elle découvrait le rôle précis de chacun au domaine et se demandait quand elle pourrait reprendre le sien propre. Son père était resté vague sur ce sujet. En effet Jean n'avait pas voulu lui mettre la pression dès son retour, aussi lui avait-il dit que rien ne pressait. Mais Sophie vivait dans une sorte d'urgence à retrouver la vie d'avant. Elle voulait que chaque souvenir fût revenu et bien rangé à sa place dans sa cervelle.

— J'ai eu les Hofmann au téléphone, les avertit Jean. Ils voulaient avoir des nouvelles...

Il ne précisa pas pour dire que les nouvelles demandées concernaient principalement Sophie. C'était bien inutile ! Chacun le savait et le comprenait. Cet épisode dramatique les liait pour la vie à cette famille allemande. Il leur serait difficile de passer outre.

Gabriel alla chercher la petite liqueur au citron de Carcassonne et la servit dans des verres refroidis par des glaçons. Sophie huma son verre et en apprécia le parfum. Elle trempa ses lèvres dans le breuvage et aussitôt une sensation connue aiguisa ses papilles. Elle connaissait cette liqueur. Elle l'aimait. Dans son esprit, le goût sirupeux légèrement acidulé était associé à une soirée festive, à un bal en plein air. Elle ferma un instant les yeux pour forcer sa mémoire. Elle voyait beaucoup de monde, dont Juliette. Elle se voyait assise devant un fût vertical qui servait de table. Elle eut beau chercher, la vision s'arrêta là.

Matthieu avait remarqué son manège, désormais habituel quand elle « voyait » quelque chose. Quand elle rouvrit les yeux, il la questionna du regard, n'osant pas prendre la parole devant la famille Latour et afficher par là même leur complicité. Sophie lui sourit et haussa les épaules pour lui faire comprendre que ce n'était rien de bien important. Elle lui en parlerait plus tard. Elle non plus ne voulait pas exprimer ses « visions » devant tout le monde. Cette timidité la questionnait beaucoup. Était-elle timorée habituellement, face à ses proches ? Était-elle une suiveuse ? Il lui semblait pourtant que ça ne correspondait pas à ce qu'elle découvrait d'elle-même dans les paroles et explications de Matthieu. Elle se secoua mentalement pour reprendre pied dans la réalité de cette belle soirée de septembre où tous les convives lui étaient dévoués et prêts à tout pour elle. C'était un peu grisant. À moins que la liqueur de citron ne fît déjà son effet !

Vers vingt-trois heures, Matthieu se leva à regret pour rentrer chez lui. Il salua chaleureusement les convives. Sophie décida de l'accompagner jusqu'à sa voiture. L'évocation qu'elle avait eue ne quittait pas son esprit. Elle voulait savoir et supposait, peut-être à tort, que Matthieu pourrait l'éclairer. Elle glissa sa main sous son bras et aligna son pas sur le sien.

Même s'il fut agréablement surpris par ce geste, le jeune homme n'en dit rien et se contenta de profiter de cet instant de communion partagé avec l'amour de sa vie. Bien que cette dernière l'ignorât encore !

— Avec la liqueur, j'ai eu une vision…

Matthieu s'arrêta net et la regarda intensément, malgré la pénombre. Comme elle se taisait, il la questionna :

— Oui… Quoi comme vision ?

Sophie lui raconta les images qui avaient défilé et lui demanda s'il savait de quoi il s'agissait. Elle ne vit pas son sourire, un nuage venait de masquer la lune. Ils étaient dans le noir presque complet. Plus loin, le halo des lumières de la maison trouait l'obscurité. Sophie frissonna, non de froid, mais à cause de cette étrange sensation d'être seule avec lui dans la nuit. Instinctivement, elle se rapprocha de lui.

Tout aussi instinctivement, il la prit contre lui. Matthieu était le plus heureux des hommes à ce moment précis. Il tenait son bien le plus précieux dans ses bras et elle ne le repoussait pas. Au contraire, ce contact semblait lui convenir tout à fait. Il se racla la gorge pour chasser son intense émotion. Sans lâcher Sophie, dont il sentait la chaleur et la douceur de la peau, il raconta :

— C'était l'an dernier, pour le 14 juillet, il y avait un bal en plein air à Ornaisons. Cette année-là nous y étions avec tes frères et des copains. Le comité des fêtes avait disposé des tonneaux avec une plaque ronde dessus. Ils servaient de tables. On a bien arrosé la soirée et fini avec la liqueur de citron. On a dansé jusqu'au petit matin.

— Juliette était là ?

— Oui, je crois bien. Tu t'en souviens ?

— Pas très bien. Mais je la vois, elle.

— On a dansé ensemble, osa lui rappeler le jeune homme, étreint par un espoir soudain.

Le nuage chassé par la brise, la clarté lunaire recouvrait à nouveau tout d'une lumière bleutée. La jeune femme leva la tête vers lui et surprit son regard fixé sur elle. De légers papillons s'agitèrent dans son ventre. Elle subodorait plus qu'une amitié, mais il ne se passait rien d'autre, malgré l'envie qu'elle avait d'être aimée de lui.

— Désolée, je ne me souviens pas, chuchota-t-elle.

Chapitre 19

Sophie récupéra son sac à main, se leva et remercia l'homme assis en face d'elle. Poliment, il contourna son bureau et la raccompagna jusqu'à la porte. Ils ne se serrèrent pas la main, Covid oblige, mais inclinèrent légèrement la tête pour se saluer.

— À la semaine prochaine, monsieur.

Elle préféra les escaliers à l'ascenseur. Ils lui permettaient de bouger. Elle en avait besoin, après cette immobilité nécessaire à sa psychothérapie. Tandis que ses talons claquaient sur les tommettes rouges des marches, ses pensées revenaient sans cesse sur ses découvertes qui la prenaient par surprise au jour le jour. Ses souvenirs regagnaient peu à peu leur emplacement. Ainsi les membres de la famille lui étaient à nouveau chers. Elle se rappelait presque tous les moments familiaux, et surtout de tout ce qui les liait les uns aux autres. Grâce à sa thérapie, elle progressait. Elle se satisfaisait de petites victoires quotidiennes sans plus chercher à forcer les choses. Les réminiscences venaient naturellement et tout se remettait en place. Comme si le grand ménage était terminé et qu'il fallait tout ranger.

Aujourd'hui, elle avait pu informer son thérapeute qu'elle avait pleinement repris son travail. C'était miraculeux qu'elle n'eût rien oublié, d'une part, et qu'elle y prît autant de plaisir d'autre part. Alors qu'elle s'était inquiétée de ne pas savoir quoi faire dans les caves, la pratique était revenue dès qu'elle y avait pénétré. Comme si cela avait été inné. À sa demande expresse, son père avait accepté de l'accompagner partout, pour pallier la moindre défaillance. Mais pour l'heure, elle n'en avait eu aucune.

Le seul élément important manquant du puzzle restait « l'accident ». Rien ne revenait à ce sujet. Elle se rappelait son stage chez les Hofman, les pluies diluviennes de ce jour fatidique. Puis tout s'arrêtait là, comme si le bouton avance rapide avait été activité jusqu'à son réveil à la clinique du docteur Müller. Un laps de temps oublié, perdu dans le néant.

Son psychothérapeute l'aidait beaucoup à accepter le fait que peut-être elle ne saurait jamais et que ce n'était pas si grave au fond. Elle réussissait à relativiser cette absence en se disant que si c'était si traumatisant, il valait sans doute mieux qu'elle ne se souvint de rien.

Le jeudi était jour de marché à Narbonne. Elle en profita pour déambuler sur les quais. L'affluence était plus modeste que pendant l'été. Il était très agréable de flâner le long des étals regorgeant de marchandises diverses, de couleurs, d'odeurs. Elle poussa jusqu'aux halles et acheta une galette catalane au stand de sa pâtisserie préférée. Elle fit le tour des autres étals, rien que pour le plaisir d'entendre, de sentir, de voir… Tous ses sens étaient mobilisés.

Devant les rôtissoires des poulets dont les effluves embaumaient et vous mettaient l'eau à la bouche, par inadvertance elle bouscula Matthieu qui attendait son tour dans la file dense et masquée.

La première surprise passée, son cœur rata un battement. Il avait réintégré sa mémoire lui aussi. Bien sûr. Comment avait-elle pu l'oublier ? Elle se souvenait aussi de l'émoi suscité par le message qu'il lui avait envoyé alors qu'elle était à Ahrweiler. Or, depuis leur retour, il n'en avait pas reparlé. Elle attendait avec de plus en plus d'impatience qu'il se déclarât, mais en vain. Alors elle essayait de se comporter comme avant. Il était un frère de plus, même si elle n'avait aucune envie qu'il se conduisît avec elle comme tel. Hélas, elle n'osait pas le lui dire.

De son côté, Matthieu était heureux de la croiser là. Ils étaient enfin seuls, malgré la foule. Pas de famille autour d'elle. Depuis qu'ils étaient rentrés en France, ils n'avaient quasiment pas eu un moment seul à seule, ce qu'il regrettait très sincèrement. À quel moment aurait-il la possibilité de lui déclarer sa flamme ? Il trépignait. Il avait eu un moment d'espoir fou quand elle lui avait appris qu'elle se souvenait de lui. Mais elle n'avait pas du tout évoqué leurs échanges épistolaires, si microscopiques fussent-ils. Alors, redoutant qu'elle n'eût plus envie de tenter l'aventure avec lui, il n'avait pas osé la questionner à ce sujet. Le capitaine Lartigue s'avérait manquer de courage pour assumer un éventuel refus !

Il lui proposa d'aller prendre un verre au café du quai, ce qu'elle accepta avec empressement. Ils sortirent des halles et retrouvèrent la lumière du jour et un certain calme avec plaisir.

Matthieu oublia le poulet rôti et les pommes de terre cuites au jus qui devaient composer son déjeuner. Il la guida jusqu'à une table. Un serveur enregistra rapidement leur pass sanitaire à l'aide de son téléphone ainsi que leur commande et ils purent enfin poser leurs masques.

Matthieu ne la quittait pas des yeux. Il se disait que c'était le bon moment. Après, il serait libéré et si heureux si elle partageait ses sentiments. Mais sa petite voix intérieure lui soufflait le contraire. Et si elle refusait ? Plus rien ne serait possible entre eux. Il ne pourrait plus se comporter comme d'habitude. Jamais il ne souffrirait de la rencontrer sans qu'elle partageât ses sentiments. Ce serait bien trop dur. Il ne tiendrait pas le coup. Il préféra attendre. Mieux valait la voir sans amour partagé que ne plus la voir du tout. Intérieurement, il se traitait de dégonflé. Habituellement, il avait le verbe facile quand il s'agissait de conquêtes et bénéficiait d'un succès raisonnable. Mais pour lui, Sophie n'était pas une conquête de quelques jours voire quelques semaines. Avec elle, il était prêt à partager bien plus que quelques heures de plaisir. Il voulait s'engager pour de bon. Il voulait vivre avec elle, la chérir toute sa vie durant.

Le même genre de pensées agitait la jeune femme. Tout en lui la troublait : son physique, son charisme, sa gentillesse. Rien ne la laissait de marbre. Mais comment le lui faire savoir ? Elle se prit à regretter le temps du collège où une bonne copine se chargeait de jouer les intermédiaires en allant à la pêche aux informations !

Émus par leurs propres pensées qu'ils n'osaient, hélas, pas partager, la conversation était languissante, mal aisée. Une gêne idiote s'emparait d'eux. Ils ne savaient pas quoi se dire de vive voix, alors que des monologues intériorisés emplissaient leur tête.

Fort à propos, bien qu'il n'en sût rien, Florent s'arrêta à leur table, surpris et content de les trouver là. D'un seul coup, l'atmosphère se détendit. Il prit place entre eux et proposa de commander quelques huîtres pour accompagner l'apéritif qu'il leur offrit. La conversation s'anima enfin. Les deux sapeurs-pompiers étaient de repos et avaient le temps de baguenauder aujourd'hui. C'est la raison pour laquelle, ils étaient en balade au marché du jeudi, apprit Sophie. Elle leur expliqua la raison de sa venue à elle et leur confia quelques souvenirs récupérés depuis le début de cette semaine. Matthieu l'écoutait religieusement. Bien qu'ils se vissent chaque week-end au domaine, dès lors que le SDIS ne le monopolisait pas. Les progrès réalisés par la jeune femme alimentaient souvent les conversations ces jours-là.

Matthieu enregistrait goulûment chaque information concernant la jeune femme. Il n'en perdait pas une miette. D'autant que son visage s'animait en racontant. Ses yeux s'enflammaient, comme ceux d'un chat devant un bol de lait, sa bouche rose découvrait ses jolies dents bien alignées. Avec émoi, il se souvenait encore de sa période appareil dentaire lorsqu'elle était adolescente. Il mourrait d'envie de l'embrasser.

Pris sur le fait en train de rêver à la bouche de Sophie par Florent qui lui tapait sur l'épaule pour le ramener sur terre, il s'excusa en regardant son ami.

— On va à la plage cet après-midi ?

— Euh…

— Sophie vient avec nous ! argumenta Florent en clignant de l'œil.

Matthieu fut un peu embarrassé par le sous-entendu de Florent, mais donna son accord. Pour passer une partie de la journée avec sa belle, il était prêt à tout.

Pendant ce temps, Sophie avait appelé sa mère pour savoir s'il était possible de recevoir Florent et Matthieu pour le déjeuner. Il serait alors plus pratique de repartir tous les trois jusqu'à la plage des chalets.

Le sable chaud déserté par les touristes était très agréable sous les pieds nus. La mer était peu agitée. Quelques vagues mousseuses venaient mourir sur le bord. Le temps était idéal pour profiter d'une baignade en cette fin de septembre.

Sophie avait apporté un roman policier qu'elle n'avait jamais le temps de lire au domaine, tant elle était happée par ses activités quotidiennes.

Son père avait allégé le plus possible son travail aux vendanges. Suivant les conseils du médecin de famille, il tenait à ce qu'elle se reposât pour mieux reprendre pied dans sa vie. D'ailleurs, au domaine, chacun lui facilitait la vie de son mieux. Cela portait ses fruits, elle allait de mieux en mieux. Parfois quelques rappels à la vie d'avant la surprenaient et elle adorait lire la même surprise sur les visages de ses proches, lorsqu'elle leur en faisait part.

Les deux hommes s'ébattaient dans l'eau turquoise. Ils faisaient la course jusqu'à la bouée jaune qui flottait au loin. Cachée derrière ses lunettes de soleil, Sophie ne pouvait s'empêcher d'admirer le crawl puissant de Matthieu, tout comme elle n'avait rien manqué de sa plastique parfaite quand il s'était déshabillé.

Elle avait réussi à entrer dans l'eau jusqu'en haut des cuisses, mais elle était trop froide à son goût et elle préférait profiter de la douceur du soleil pour réactiver sa mélanine. Depuis Ahrweiler, sa peau avait pâli. Elle se rappelait parfaitement être partie avec un hâle léger sur sa peau de blonde. Prendre des bains de soleil était un de ses anciens plaisirs, aussi rare fût-il, et elle découvrait avec satisfaction qu'elle aimait toujours autant cette in-activité !

L'après-midi passa ainsi, entre baignade et séchage au soleil, entre lecture et contemplation, entre paroles et silence. Entre pensées intimes et attente vaine pour Sophie et Matthieu.

Florent avait bien tenté de mettre son ami sur la bonne voie en lui proposant de rester dans l'eau pendant qu'il déclarait sa flamme à sa sœur, mais Matthieu avait refusé tout de go.

Il voulait que ce fût quand il le sentirait, quand il penserait que Sophie pourrait répondre oui. Peut-être qu'il ne le saurait jamais. Mais perdre complètement Sophie était inenvisageable. Alors il procrastinait. Bêtement. Avec entêtement.

« Quel dommage ! » se disaient les membres de la famille. Cependant aucun ne voulait s'en mêler, pas plus que Juliette qui avait bien remarqué l'air énamouré de Matthieu dès lors qu'il s'agissait de Sophie. Il fallait laisser faire les choses.

Marie, pour sa part, était certaine que l'un des deux finirait par exploser. Une telle attirance ne pouvait être gardée secrète bien plus longtemps. Elle se prenait à rêver fiançailles pour Noël... Rêve désuet, elle en avait parfaitement conscience, mais quel beau rêve !

Au fond, seuls les deux protagonistes ne lisaient pas sur leur visage l'amour qu'ils se portaient mutuellement. Ça aurait presque pu être un quiproquo digne d'un grand théâtre de boulevard parisien. En attendant ce jour incertain de grand aveu, que chacun espérait proche, la famille observait l'évolution de la situation et aidait discrètement, de son mieux, à la manœuvre d'un rapprochement amoureux.

Le vin rosé bien frais désaltéra les adultes et anima les conversations autour de la grande table de la terrasse où dansaient les flammes des bougies. Les savoureuses viandes grillées à la plancha eurent raison de l'appétit féroce des plus jeunes. La galette catalane connut un grand succès. Il ne resta bientôt plus que les miettes que Camille alla jeter plus loin pour les oiseaux.

Victoire et Alexandre rechignèrent un peu à aller se coucher. La soirée entre adultes ne se termina pas très tard, les deux sapeurs-pompiers devant prendre leur service à six heures le lendemain. Une longue journée de travail attendait aussi les vignerons. Les vacances n'étaient plus d'actualité depuis longtemps pour eux.

Sophie ne résista pas au désir de raccompagner les deux jeunes hommes jusqu'à leur voiture. Par discrétion, Florent partit en tête, laissant aux deux autres le loisir de se déclarer enfin. Selon une habitude nouvellement prise, la jeune femme passa son bras sous celui de Matthieu, se rapprochant ainsi de lui. Elle percevait la chaleur de son corps et ralentit imperceptiblement le pas pour prolonger autant que possible ce moment rien qu'à elle et lui.

Son cœur tambourinait dans sa poitrine.

Matthieu emprisonna la main fine posée sur son bras de sa main libre et la serra doucement. « Allez, c'est le moment », se dit-il.

Chapitre 20

26 septembre 2021

Le moment tant attendu n'avait pas eu lieu ! Pleine de regret, Sophie regagna sa maison. Au loin, elle entendit le hululement d'une chouette, telle une longue plainte. Elle aussi avait envie de crier son désarroi. Elle leva les yeux au ciel et tenta de se concentrer sur les astres qui brillaient dans le noir d'encre du firmament. Une folle envie de secouer ce globe pour faire scintiller toutes les étoiles s'empara d'elle. Alentour, à sa droite, la pâle lueur bleutée du téléviseur lui indiquait que ses parents n'étaient pas encore couchés. Pleurer et aller chercher du réconfort auprès d'eux, comme autrefois... C'était une régression certaine, mais elle ne voyait pas d'autre issue sur l'instant ! Cependant, cette incartade mentale ne dura pas. Elle rentra chez elle et alluma la lampe du salon, tout près du canapé dans lequel elle se laissa tomber, un triste sourire aux lèvres. Un sourire courageux plutôt, parce qu'un sourire ne pouvait pas être triste. Pourquoi était-ce si compliqué d'avouer ses sentiments ? Quand une femme et un homme se plaisaient, ils le sentaient. Pourquoi les premiers mots étaient-ils si difficiles, si délicats à trouver ?

Dans sa mémoire retrouvée, même partiellement, l'impatience grandissait. L'aspiration au bonheur, à l'amour, l'envahissait tout entière. Sa vie s'écrivait comme un lipogramme. Il lui manquait non pas une lettre, mais un élément entier. Le plus important ! Le plus beau !

De son côté, Matthieu s'en voulait de sa lâcheté, décidément récurrente. Sur le papier, c'était si simple, si évident. Il suffisait de prononcer trois mots. Trois mots tout petits, mais porteurs de tant d'espoir et de bonheur à venir. Depuis seulement deux mois, sa vie oscillait entre joie et terreur. À force de volonté, il se sentait capable d'oublier la période la plus noire de son existence. Hélas, l'angoisse de perdre l'amour de Sophie pour toujours exacerbait ses émotions. Il y avait une urgence, quasi vitale, à dévoiler ses sentiments secrets à la seule femme qui les suscitait. Pourquoi n'y parvenait-il pas, bon sang ? Il se flagellait mentalement, puis se promettait d'avoir ce courage nécessaire le lendemain. Cette situation déstabilisante ne pouvait pas durer.

Vers vingt-trois heures, la sirène qui retentit soudainement ne permit pas aux pompiers de terminer leur tasse de café ni leur partie de tarot. Comme souvent, ensemble, Florent et Matthieu partirent en courant. Ils grimpèrent dans le camion qui partit à toute vitesse en direction de Montredon. Un incendie venait d'éclater à la clinique, provoquant une très grosse frayeur à l'infirmière qui avait remarqué la fumée s'échappant d'un faux plafond.

Les secours avaient mobilisé de gros moyens et leur intervention permit d'éteindre très rapidement l'incendie. Cependant, de grosses fumées s'étaient massivement répandues. La direction avait fait transférer rapidement les malades dans d'autres services, afin que les pompiers pussent procéder au désenfumage. Les pluies diluviennes tombées au moment de l'inauguration de l'établissement, quelques mois plus tôt, avaient endommagé les plafonds du troisième étage, fragilisant ainsi l'édifice.

Matthieu fut détaché pour vérifier que plus personne ne restait à cet étage-là. Il emprunta l'escalier de secours et grimpa les marches quatre à quatre, suivi par un coéquipier. Sur le palier, quelle ne fut pas leur surprise en voyant un jeune garçon en pyjama assis par terre au milieu du couloir. Il releva la tête qu'il avait posée entre ses mains et se releva d'un bond de cabri. Aussitôt, il partit en courant à l'opposé des deux pompiers.

— Hé ! attendez ! On va vous aider ! cria Matthieu.

Le jeune garçon disparut au détour du couloir. Les deux sauveteurs couraient derrière lui. Leurs grosses chaussures martelaient le sol et rompaient le silence de l'étage. Le fuyard avait disparu de leur champ de vision. Ils se retrouvèrent au bout du couloir, avec comme seule option d'ouvrir les portes une à une.

— Tu prends les portes de droite et moi celles de gauche, ordonna Matthieu.

Ils comprirent qu'ouvrir les portes ne suffirait pas, qu'ils allaient devoir aussi pénétrer dans les chambres et visiter les salles de bain. Cette perte de temps imprévue contrariait beaucoup le capitaine Lartigue. Il adressa un message aux équipes pour les prévenir.

Il entra dans la chambre trois cent vingt-cinq, et regarda sous le lit, puis dans le placard mural et enfin ouvrit la porte de la salle de bain. Il entendit un craquement sinistre. Au moment où il levait la tête pour regarder vers le plafond, celui-ci s'effondra, étouffant ses cris.

Ce matin-là, Sophie travaillait dans son bureau. Elle s'assurait que le site du domaine était bien à jour. Elle l'avait pas mal négligé ces dernières semaines. Il était grand temps de le dépoussiérer et de le rendre encore plus attractif. Elle n'était pas webmaster mais aimait bien cette partie de son travail. Elle avait beaucoup appris à l'université avec ses camarades plus doués qu'elle en informatique.

Marie arriva en courant, ce qui ne manqua pas de surprendre Sophie et de l'inquiéter immédiatement.

— Maman ? Qu'y a-t-il ?

— C'est Matthieu, annonça Marie en respirant bruyamment.

— Quoi Matthieu ? suffoqua Sophie, qui se retrouva debout comme mue par un ressort.

— Il a eu un accident au travail cette nuit. Je ne sais pas si c'est grave. Florent vient de m'appeler.

Sophie se rassit lourdement, ou plutôt se laissa tomber sur sa chaise comme une pierre. Son sang battait à ses tempes. Elle tremblait de tous ses membres. Elle avait le cœur au bord des lèvres. Elle ne parvenait pas à demander plus de détails. Il lui semblait qu'elle avait perdu l'usage de la parole.

Marie, la première, se reprit et comprit ce que son annonce pouvait avoir de brutal. Elle s'en voulut de son manque de discernement. Elle se serait giflée. Elle prit les mains tremblantes de sa fille dans les siennes et tenta de la ramener à la réalité.

— Sophie ! Pour le moment, on ne sait rien. Ce n'est pas la peine de t'angoisser à l'avance.

Sophie ne réagissait pas. Elle était comme dans un état second. Égarée quelque part, mais où ?

Sa mère la força à se lever et la prit contre elle. Instinctivement, elle la berça en caressant doucement son dos. Quand elle sentit que les tremblements se calmaient, elle prit les choses en main.

— Viens, je t'emmène. On va le voir !

Une lueur apparut dans les yeux de Sophie. Mais bien sûr ! Que faisait-elle encore ici à trembler pour l'homme de sa vie ? Parce que Matthieu était l'homme de sa vie. Elle le savait et acceptait enfin de se l'avouer. Elle devait être auprès de lui. Être là pour lui, comme il l'avait été pour elle il y a peu. Elle sortit de la pièce précipitamment, suivie de Marie. Dans la cour, Jean et Gabriel les rejoignirent.

— Viens, lui dit son frère en agitant ses clés de voiture, on y va.

Marie hocha la tête et poussa Sophie vers Gabriel. Jean se rapprocha de son épouse et tous deux regardèrent leurs enfants s'éloigner en courant vers le 4X4.

Les pneus crissèrent sur les gravillons. Un nuage de poussière suivit la voiture jusqu'au bitume de la chaussée.

— Tu sais où il est ? chuchota Sophie.

— Oui. T'inquiète… ça va aller, Sophie ! assura Gabriel en serrant légèrement le genou de sa petite sœur.

Trouver une place pour se garer à l'hôpital de Narbonne était compliqué à cette heure. Ils eurent de la chance. Une place se libérait juste comme ils arrivaient devant le square du boulevard Lacroix. Aller jusqu'au parcmètre, retourner déposer le papillon sur le pare-brise de la voiture étaient des pertes de temps insupportables pour Sophie, mais hélas indispensables.

Quand enfin ils purent accéder à l'accueil, la secrétaire les dirigea vers le bon service. Arrivés aux urgences, Gabriel affirma que Sophie était la fiancée de Matthieu. Sans quoi aucune nouvelle ne serait donnée. Ils durent s'asseoir dans la salle d'attente et patienter.

L'attente longue et silencieuse permit à l'esprit de Sophie de vagabonder. Son frère l'avait présentée comme la fiancée du beau capitaine des pompiers. Elle ne l'avait pas contredit. Si elle n'avait pas eu aussi peur pour Matthieu, elle aurait pu remercier son frère pour son esprit d'à-propos. Étrangement, elle n'était même pas surprise par cette affirmation de la part de son frère. Elle constatait une fois de plus que les membres de sa famille faisaient preuve de beaucoup de discrétion vis-à-vis d'elle, mais qu'ils étaient au courant de nombreuses choses. Y compris de son amour secret ? Mais alors, seul l'objet de ses rêves était aveugle. L'angoisse la rongeait. Elle se releva, marcha, se rassit. Puis elle se releva à nouveau pour aller chercher des cafés au distributeur.

Les minutes défilaient à une vitesse d'une telle lenteur qu'il était impossible qu'elle fût répertoriée sur une échelle quelconque ! Elle trépignait intérieurement, avait envie de pleurer tant sa gorge était serrée. Parfois, elle appuyait sa tête sur l'épaule de Gabriel qui passait aussitôt un bras autour de son épaule pour la calmer et l'encourager.

Enfin, un médecin, en blouse blanche et stéthoscope rouge autour du cou, s'avança vers eux. Il avait un dossier à la main. Comme mus par un même ressort, le frère et la sœur se levèrent en chœur. Leurs mains se cherchèrent instinctivement. Les mots refusaient de franchir les lèvres de Sophie. Elle était incapable de la moindre parole, du moindre geste. Elle s'était statufiée, fixant froidement le docteur.

— Bon, monsieur Lartigue est sorti d'affaire.

Comme une baudruche, Sophie se dégonfla d'un seul coup. Elle reprit sa respiration et se ranima grâce à ces paroles.

— Où a-t-il été touché ? s'enquit Gabriel, en tenant toujours la main de sa sœur.

— Il a reçu un faux plafond sur la tête. Donc il a une commotion cérébrale que nous surveillons, bien sûr des hématomes un peu partout et un bras cassé. Il a été plâtré. Heureusement qu'il avait son casque !

— On peut le voir ? bredouilla Sophie.

— Oui, bien sûr. Il est sous sédatif pour ne pas trop souffrir. On va le garder quarante-huit heures en observation. Puis il pourra rentrer chez lui si tout va bien.

Exprimer le soulagement ressenti par Sophie était impossible. Tant de mots, tant de nuances se bousculaient dans sa tête. Une seule chose comptait : Matthieu n'avait rien de grave. Sa vie professionnelle était certainement jalonnée de ce type d'accident. Mais auparavant, Sophie n'avait pas conscience de l'extrême importance que revêtait ce beau capitaine dans sa vie et dans son cœur.

D'un pas léger, presque dansant, elle suivit Gabriel jusqu'à la chambre de son bien-aimé.

Malgré sa carrure athlétique, Matthieu paraissait fragile allongé sur ce lit d'hôpital. Il était pâle. De nombreuses marques et égratignures zébraient son visage. Une des belles mains était gonflée et dépassait d'un plâtre blanc immaculé. Le cœur serré, Sophie contourna le lit et s'approcha de lui. Timidement, elle prit sa main valide et pressa doucement ses lèvres sur la peau brunie.

Pendant ce temps, son frère lui approcha un siège pour qu'elle pût s'asseoir près de lui. Il apposa ses mains sur les frêles épaules de sa sœur en signe de soutien et d'affection. Il se pencha à son oreille pour lui souffler :

— Je vous laisse ! Je reviendrai te chercher plus tard.

Sophie secoua la tête en signe d'assentiment mais sans quitter Matthieu des yeux. Elle voulait profiter de ce moment très intime pour le regarder, l'admirer, le dévorer des yeux. Sans gêne aucune puisqu'il dormait ! Il était tout à elle et elle comptait bien en profiter tout son saoul. Elle rapprocha encore un peu plus son siège jusqu'à ce que ses genoux touchassent le lit. Elle s'avança, posa ses coudes sur le drap et captura littéralement la main bronzée. Elle la serra entre les deux siennes, l'embrassa, appuya son front brûlant dessus et en éprouva la fraîcheur. Les mots, impossibles à dire, sortir tout seuls en un chuchotement incontrôlable et si faible qu'elle-même s'entendait à peine. Un tel soulagement la submergeait que son monologue se poursuivit un long moment. Une fois les mots d'amour prononcés, elle racontait le reste. Sa vie, sa vision de l'avenir, ses projets au domaine. Elle racontait aussi des petits riens, ces choses sans importance, de jolies petites choses, pour le seul plaisir de les partager avec lui. Il dormait toujours et n'avait pas bougé depuis qu'elle était entrée dans sa chambre. Seul le drap se soulevait régulièrement au rythme de sa respiration.

Quand sa logorrhée se fut calmée, elle appuya sa tête sur le drap sans lâcher la main de Matthieu. L'apaisement fut si intense qu'elle perdit le fil du temps et somnola près de lui.

Chapitre 21

— Ça fait longtemps que tu es là ?

Sophie se redressa. La voix ténue et un peu éraillée l'avait quand même fait sortir de ses songes. Ses yeux brillaient d'une fièvre amoureuse. Matthieu pensa qu'elle n'avait jamais été aussi belle. Comme elle n'avait pas répondu, il réitéra sa question.

— Je ne sais plus, souffla-t-elle. Peut-être deux ou trois heures...

Quelle bêtise, alors que tout son être avait envie de lui répondre « quelque chose comme une éternité ».

Elle n'avait pas lâché sa main et en s'en rendant compte, elle hésita sur la conduite à tenir. Matthieu résolut cette épineuse question à sa place en déplaçant sa main valide autour du poignet gracile de la jeune femme. Il ne la quittait pas des yeux. Son regard s'était fait caressant, l'enveloppant de douceur. Elle ne chercha pas à s'éloigner, attendant. Elle se maudissait de n'avoir plus le courage de lui déclarer sa flamme maintenant qu'il était réveillé. Quelle idiote elle faisait ! La peur vous fait faire ou dire des choses que vous n'oseriez même pas imaginer en temps normal.

— Tu as mal ?

Matthieu se sentait un peu vaseux et commençait à ressentir quelques douleurs quand il bougeait.

— Non, ça va, merci.

Le choc sur la tête paraissait lui avoir remis les idées en place et il décida qu'il était temps pour lui de crever l'abcès. Il n'en pouvait plus de cette attente interminable. Son indécision allait finir par le tuer pour de bon. Il voulait savoir...

— Pendant que tu étais en Allemagne, je t'ai envoyé un texto. Tu t'en souviens ? chuchota-t-il en caressant le fin poignet qu'il tenait toujours.

Le cœur battant la chamade, Sophie opina de la tête, les mots d'amour coincés au fond de la gorge. Une douce chaleur irradiait tout son corps.

— Tu te rappelles ce que tu m'as répondu ?

— Oui, bien sûr…

— Est-ce que tu le regrettes ?

Par crainte d'une réponse négative, il enchaîna sans attendre.

— Oh, Sophie, si tu savais comme j'ai eu peur de te perdre !

Sa voix tremblait, mais il poursuivit avec un peu plus d'assurance. Qu'elle se souvînt était peut-être bon signe, bien qu'elle n'ajoutât rien. Il la dévisageait d'un œil langoureux et son pouce continuait son lent va-et-vient sur le fin poignet de Sophie.

— Je t'aime… Depuis toujours, je crois.

Voilà ! Il l'avait dit. Aucun retour en arrière n'était permis. Il venait de jouer à la roulette russe. Son avenir était entre les mains de sa belle, qui se taisait toujours. Ce qui l'inquiétait au plus haut point, mais désormais il était trop tard pour rattraper ses aveux.

— Dis quelque chose, Sophie ! quémanda-t-il enfin d'une voix chevrotante, le regard noyé par des larmes inopportunes.

Malencontreusement, aucun son ne réussissait à franchir la gorge serrée de la jeune femme. Elle ne parvenait que très difficilement à calmer les battements affolés de son cœur et les papillons qui dansaient dans son ventre. Des larmes perlaient à ses yeux verts, les faisant miroiter comme des émeraudes polies. Elle ne put que se pencher vers lui et poser délicatement ses lèvres sur la bouche charnue de Matthieu. Ce contact physique ouvrit enfin les vannes qui retenaient tous les mots d'amour étranglés.

— Moi aussi, je t'aime. Je t'aime tellement. Je te l'ai dit tout à l'heure… Mais tu dormais, acheva-t-elle dans un petit rire. Je n'avais pas le courage de te le dire avant et je le regrette.

— Oh, mon amour ! Si tu savais comme j'ai attendu ce moment. J'avais si peur que tu ne m'aimes pas.

Les confidences se bousculaient pendant qu'ils se dévoraient des yeux. Ils échangèrent enfin leur premier baiser. Toute l'émotion contenue éclatait. Ce moment d'effusion n'était plus qu'ivresse et vertige de l'amour !

Pour être encore plus près de lui, Sophie s'allongea sur le lit et posa sa tête contre l'épaule solide. Ils se murmuraient des secrets gardés depuis trop longtemps au fond de leur cœur. Ils ne virent pas le temps passer et furent très surpris quand ce fut l'heure du plateau-repas apporté par un jeune homme dégingandé.

— Alors, ça va mieux, monsieur, hein ! lança-t-il avec un clin d'œil en direction du patient.

Sophie se redressa, et selon son habitude, remit en place ses longs cheveux derrière son oreille.

Matthieu la couvait du regard et s'émouvait de ce geste si familier. Il peinait à recouvrer ses esprits. Et la commotion cérébrale n'y était pour rien ! Son aimée venait de le conduire au paradis et plus rien ne l'empêcherait de danser, de chanter, de rire avec elle. La vie était belle ! Elle l'aimait !

De son côté, la jeune femme vivait un état de grâce, transportée par cet amour partagé. Même si c'était tout récent, elle savait au fond d'elle-même qu'ils s'aimaient depuis la nuit des temps. Elle en venait à se demander pourquoi elle ne s'en était pas rendu compte avant. C'était si agréable d'aimer et d'être aimée. Ils se connaissaient depuis si longtemps. Ils avaient partagé tant de jeux d'enfants. Quelle erreur ç'avait été de croire qu'il était comme un frère pour elle ! Désormais, les choses étaient claires. Matthieu était l'homme qu'elle aimait et elle rêvait de partager avec lui bien plus que des parties de ballon ou de cache-cache.

Amoureux mais affamé, Matthieu retira le couvercle de son assiette pour découvrir deux tranches de jambon et de la purée. La grimace spontanée du jeune homme provoqua un éclat de rire chez Sophie.

— Oh mince ! purée jambon… Mais j'ai une faim de loup !

La jeune femme riait toujours, dévoilant ses dents nacrées. Son rire ressemblait à des petits cristaux égrenés qui roulaient en cascade. Elle lui proposa d'aller lui acheter quelque chose.

— Non. Je ne veux pas que tu me quittes.

En le lui disant, il prit sa main dans la sienne et l'attira vers lui. Ils échangèrent de nouveaux baisers, pendant que la malheureuse purée refroidissait dans l'assiette.

Un léger coup frappé à la porte les ramena à la réalité. Ils n'eurent que le temps de se redresser quand Gabriel entra. D'un simple coup d'œil, il jugea qu'il arrivait trop tôt et s'en voulut un peu. Il était un peu gauche et ne savait pas quoi dire.

Sophie comprit sa gêne et partagea un clin d'œil avec son frère. Il était probablement inutile d'expliquer quoi que ce soit. D'ailleurs Gabriel s'approcha d'eux, avec un sourire jusqu'aux oreilles.

— Vous avez mis le temps !

Il serra la main libre de Matthieu et caressa la joue de sa petite sœur.

— Je suis content pour vous. J'espère que vous serez heureux tous les deux.

Sa voix calme, ses paroles bienveillantes se mêlaient agréablement à la petite musique intérieure qui berçait les deux amoureux.

— Alors cette purée ? Elle est bonne ?

Les trois jeunes gens éclatèrent de rire en posant leurs regards sur l'assiette blanche où refroidissait la pâle purée.

— Mange au moins le jambon mon cœur, tu dois avoir faim.

L'utilisation de petits mots, que seuls les amoureux échangeaient, surprenait très agréablement Sophie. C'était la première fois qu'elle en usait. Parmi ses quelques coups de cœur, elle n'avait jamais éprouvé le besoin de partager avec eux des mots trop doux ni si intimes. Aujourd'hui, elle se sentait enveloppée d'une douceur tout à fait nouvelle et c'était réellement agréable.

Ce soir-là, toute la famille se retrouva sur la terrasse pour partager une grosse salade composée et des seiches à la plancha. Marie avait préparé une belle tarte aux pommes caramélisées pour clore ce repas improvisé. Les deux neveux de Sophie ne l'avaient pas quittée d'une seconde, grimpant sur ses genoux à tour de rôle, lui relatant leurs journées d'école. Alexandre avait même apporté son livre de lecture pour montrer à sa tante comme il savait bien lire !

Jean avait sorti de la cave une bonne bouteille de rosé et chacun avait levé son verre à la santé des amoureux nouveaux et bien sûr au prompt rétablissement de Matthieu.

Sophie avait le cœur serré d'avoir dû le quitter et l'abandonner à son triste sort. Mais le jeune homme avait refusé qu'elle restât toute la nuit avec lui, bien qu'elle eût insisté.

Il avait dû lutter contre sa propre envie pour ce faire. Mais il savait qu'il avait besoin de repos et il lui aurait été difficile de le trouver en sachant que Sophie partageait sa chambre.

Les commentaires joyeux allaient bon train. Florent, qui avait réussi à être là un peu avant le dessert, se moquait gentiment de sa sœur et de son meilleur ami.

— Tout le monde le savait, sauf vous deux ! Vous étiez aveugles ou quoi ?

Sophie riait, soulagée d'être délivrée. Son prince était enfin parvenu jusqu'à elle. Elle participait à la conversation avec entrain, bien que parfois elle s'égarât ailleurs, un sourire rêveur au coin des lèvres. Son cœur était resté dans la chambre d'hôpital dans laquelle reposait Matthieu. Leur avenir était à construire. Ils se connaissaient depuis fort longtemps, mais tout était nouveau pour eux. Connaître par cœur un visage, y lire facilement une émotion ne facilitait pas tout. Partager un quotidien était une nouvelle aventure qu'elle était impatiente d'explorer. Sans l'avoir franchement abordée, elle pressentait l'urgence qu'ils ressentaient à vivre ensemble. Au fond, tout était écrit depuis longtemps entre eux. Vivre ensemble faisait partie de l'évolution normale d'un amour. Elle ne trouvait pas que c'était trop rapide. C'était une évidence. L'évocation d'images plus intimes la faisait trembler à l'avance. Elle sentait la chaleur monter jusqu'à ses joues. Il lui tardait d'être au lendemain pour le rejoindre et le prendre dans ses bras. Elle était pratiquement certaine d'avoir du mal à trouver le sommeil tant sa tête était pleine de ses sentiments pour Matthieu.

Pour passer le temps, désormais bien long sans Sophie à ses côtés, Matthieu trompait son ennui en regardant la télévision. Le suspense de la fiction américaine ne parvenait pas à le captiver. Il était amoureux. Et bien plus important, elle l'aimait aussi. Et puis, il avait faim. Les gargouillis montant de son estomac le confirmaient. Un léger mal de tête commençait à l'indisposer. Il se résolut à appeler une infirmière en appuyant sur le bouton de la sonnette accrochée à son lit.

Rapidement, une femme en blanc apparut et promit d'apporter à Matthieu de quoi soulager ses céphalées. Elle revint quelques minutes après avec un comprimé et une tasse d'infusion ; Elle sortit de sa poche un paquet de biscuits secs et les offrit au jeune homme avec un bon sourire.

— Il faut bien que l'on soigne correctement nos jeunes pompiers ! déclara-t-elle à voix basse.

Ravi, Matthieu la remercia. Il prit un plaisir totalement régressif en trempant ses biscuits dans sa tasse de tilleul menthe. Cette petite collation, offerte avec tant de gentillesse, le réconforta et apaisa les grondements de son estomac. Il reporta son attention sur l'inspecteur Stabler qui semblait avoir bien du mal à résoudre son enquête. Il finit par mettre la télévision en sourdine. Il ne parvenait pas à se concentrer suffisamment pour suivre l'action. Son esprit vagabondait jusqu'à une certaine jeune femme aux yeux de prairie. Il n'en revenait toujours pas. Elle était amoureuse de lui. Elle le lui avait dit. Béat, il s'étendait avec volupté sur un nuage cotonneux. À moins que ce ne fût l'effet du sédatif qu'il venait d'avaler… Cette idée étira un sourire sur ses lèvres. Il sentait encore la douceur des lèvres de Sophie sur les siennes. Il comprenait enfin le sens du mot félicité. Il n'avait aucun doute sur leurs sentiments. Il savait que ce n'était pas un simple coup de cœur. Il lui semblait n'avoir aspiré qu'à ça toute sa vie durant. En prendre conscience lui fit du bien. Peu importaient les aventures précédentes.

Aucune n'avait vraiment compté. Seule Sophie avait le pouvoir d'allumer toutes les étoiles pour lui et il se sentait capable de lui décrocher la lune.

Sur ces considérations astrales, il finit par s'endormir, le sourire aux lèvres.

Chapitre 22

Les quarante-huit heures étaient écoulées. Sophie avait le cœur en fête. Son amoureux quittait l'hôpital après la visite du médecin. Elle le rejoindrait vers quatorze heures. Pendant qu'elle choisissait avec soin sa tenue vestimentaire, une vague inquiétude la tourmentait. Où Matthieu souhaiterait-il passer ses jours de convalescence ? Voudrait-il rentrer chez lui ? Elle avait tellement envie qu'il s'installât chez elle. Cependant quelques restes de son éducation la faisaient douter ; que diraient ses parents ? N'était-ce pas trop tôt ? Était-ce raisonnable ? Elle avait beau être une femme libre et indépendante, ces questions la taraudaient depuis la veille. Décidément, on ne se refaisait pas, songea-t-elle, un peu désappointée.

Quand elle franchit la porte de la chambre de Matthieu, ce dernier l'accueillit en ouvrant grand son seul bras mobile. Avec précaution, elle se serra contre lui, glissant ses mains autour de sa taille puis les remontant sur son dos. Une telle plénitude était irréelle. Elle ne parvenait toujours pas à y croire.

Matthieu déposait de légers baisers sur sa tête, humant avec délice le parfum fleuri de ses cheveux blonds.

— Mon amour ! se contenta-t-il simplement de dire. Il n'éprouvait pas le besoin de prononcer d'autres paroles. Tout était dit. L'impatience le gagnait à nouveau. Il suffisait à Sophie de paraître pour que tout son corps se tendît vers elle. Il avait envie d'elle et peinait à maîtriser son désir. La patience était une seconde nature chez lui. Une vertu bien utile quand il lui avait fallu attendre si longtemps pour se déclarer.

Les baisers empourpraient leurs joues, leurs cœurs battaient à tout rompre.

La première, Sophie se détacha légèrement de lui. Elle devait reprendre son souffle et reprendre pied dans la réalité. La question du matin ne la quittait pas et la politique de l'autruche ne lui avait jamais convenu.

— Où veux-tu aller, Matthieu ?

— Au bout du monde avec toi, lui répondit-il en l'attirant de nouveau à lui.

Il caressait sa bouche de ses lèvres douces. Un nouveau baiser tendre fit taire Sophie qui se liquéfiait dans les bras de Matthieu. Le désir montait sans qu'elle éprouvât l'envie de l'interrompre. Elle sentait la main du jeune homme caresser son dos, redescendre au creux de ses reins, s'attarder un peu sur ses fesses. Elle tremblait et s'agrippait à lui, de peur qu'il ne cessât.

Un coup sec à la porte les ramena brutalement à la réalité de l'instant et du lieu.

— Euh… Pardon ! Je voulais vous donner votre arrêt de travail et votre ordonnance, leur expliqua le médecin, qui en avait certainement vu d'autres. Il ne paraissait pas choqué.

Matthieu le remercia et tendit la main vers les documents évoqués. Ils se saluèrent, puis le docteur sortit, non s'en avoir souhaité un bon rétablissement au jeune homme.

Ce court intermède avait permis aux deux amoureux de se ressaisir. Sophie s'était approchée de la fenêtre et regardait sans le voir le parterre fleuri devant le parking. Manifestement, elle était incapable d'aller au bout de ses idées quand elle était contre lui. Et elle tenait à résoudre l'énigme de la suite à venir.

— Tu ne m'as pas répondu. Où veux-tu…

— Chez toi, l'interrompit Matthieu avec assurance.

Ses paroles libérèrent aussitôt Sophie. Une sorte de vertige proche de l'ivresse l'envahit. Il l'avait sauvée ! Une nouvelle fois ! Elle se précipita vers lui et l'embrassa avec force.

Sa fougue occasionna une petite grimace de douleur à Matthieu. Cependant, il était impressionné par sa fraîcheur, son naturel. C'était la seule fille qu'il connût, capable de tant de franchise. Son monde tout en nuances, bien éloigné de tout manichéisme lui plaisait de plus en plus.

Main dans la main, ils sortirent de l'hôpital, éblouis par le soleil radieux et par leur nouvelle vie à deux qui débutait. Le boulevard était, comme toujours, très animé. Ils eurent quelques difficultés à le traverser pour rejoindre la voiture de Sophie.

Devant le véhicule, Matthieu enleva son masque d'une main malhabile et ne résista pas à l'envie impérieuse d'embrasser tendrement son amoureuse, indifférent aux passants.

Le Cers soufflait sans violence, balayant les longs cheveux blonds de Sophie qui venaient chatouiller leurs visages collés l'un à l'autre. Qu'importait l'agitation urbaine autour ? Le monde leur appartenait. Le reste n'existait plus.

Le jeune homme monta avec précaution dans la voiture. Sophie se pencha vers lui, un peu plus que nécessaire, sous prétexte de l'aider à attacher sa ceinture de sécurité. Son sourire et ses yeux brillants trahissaient son bonheur. Passer sa vie dans les bras de Matthieu lui semblait être ce qui se rapprochait le plus du paradis. Un éden enfin conquis ! Après tant de doutes et de tergiversations. Sans oublier les conséquences des inondations à Ahrweiler ! Que de temps perdu ! Mais elle ferait mentir l'adage. Elle le rattraperait, elle y mettrait toutes ses forces, tout son cœur. Et ça commençait dès aujourd'hui.

— Veux-tu aller marcher sur la plage ? L'air est encore doux cet après-midi.

— J'avais pensé à une autre activité, feula-t-il en la caressant des yeux. Mais oui, allons marcher au bord de l'eau.

Sophie s'empourpra et pour masquer sa gêne, se pencha vers lui et l'embrassa.

La plage était un excellent intermède pour calmer les esprits autant que les corps. Ils quittèrent leurs chaussures et marchèrent dans les vaguelettes, rivés l'un à l'autre. De son seul bras disponible, Matthieu entourait les épaules de Sophie. Elle le tenait par la taille. Ils ne faisaient plus qu'un. Comme il était bien plus grand qu'elle, pour accorder leurs pas, le jeune homme réduisait un peu ses foulées. Ils parlaient peu, profitant simplement de l'instant. Une plage quasi déserte, une onde transparente qui leur léchait les pieds, un chaud soleil d'automne, un amour partagé... *What else ?*[29] aurait dit ce célèbre acteur américain.

Un petit chien noir se jeta dans les jambes de Sophie. Le couple s'arrêta et la jeune femme s'accroupit pour caresser le petit animal. Il était vif et avait envie de jouer, mais les vagues mourant sur le sable l'attiraient bien plus que ces humains.

Au loin un homme avançait tout en sifflant l'animal qui n'en avait cure.

Sophie se redressa, reprit sa place tout contre Matthieu. Le couple enlacé poursuivit son chemin jusqu'à la hauteur du chalet bleu et blanc des sauveteurs. Il était fermé et paraissait triste au milieu de cette immense plage quasiment vide. Quelques mouettes poussaient des cris éraillés et partaient à tire-d'aile à la recherche de quelque bateau de pêche bien garni de poissons frais rentrant au port tout proche.

Les amoureux firent demi-tour et regagnèrent l'allée faite de planches polies pour quitter la plage, non sans avoir admiré l'horizon ourlé de gris bleu, avec le mont Canigou en toile de fond. Ils s'assirent sur le muret qui séparait la plage de la voie de circulation menant au parking, pour faire tomber le sable qui collait à leurs pieds.

Ils étaient conscients de leur chance et savaient le reconnaître. Le calme ambiant les ravissait. Les tensions antérieures avaient disparu comme par enchantement.

Assis sur le muret de pierres chaudes, ils frottèrent leurs pieds. D'un rapide coup d'œil, Sophie se rendit compte que Matthieu n'y

---

[29] Quoi d'autre ?

arrivait pas bien. Elle s'accroupit devant lui et s'empara de chacun de ses pieds pour l'aider.

Ce geste spontané, si intime à ses yeux, émut profondément le jeune homme. Il posa sa main sur la joue de la jeune femme et la caressa doucement pendant qu'elle poursuivait le « désensablement ». Elle ne vit pas les yeux de l'homme fondre devant cette menue preuve d'amour. Surpris, le jeune homme se laissait faire, le cœur si gonflé de tendresse qu'il paraissait tout prêt d'exploser.

— Mon amour...

Sophie releva la tête. Son sourire exprimait bien mieux que des mots tout l'amour qu'elle lui portait. Elle appuya ses deux mains sur les genoux solides de Matthieu et se redressa. Il l'imita aussitôt et lui vola un baiser, avant qu'elle ne s'éloignât. Instantanément, les papillons qui vivaient désormais en permanence dans le corps de Sophie se réveillèrent et se mirent à danser la sarabande. Il commençait à devenir urgent de rentrer à la maison et de s'isoler dans sa chambre ! Rien que d'y penser, des flammes s'allumaient déjà dans ses yeux.

Les mêmes pensées agitaient son compagnon. Lui aussi rêvait d'un grand lit pour aimer Sophie jusqu'au bout de la nuit.

Hélas, il faudrait attendre encore un peu. Ils devaient aller au SDIS récupérer quelques affaires pour le jeune homme. Son baluchon rapporté de l'hôpital était bien maigre et serait insuffisant pour un séjour prolongé, qu'il espérait définitif, chez Sophie.

La jeune Audoise l'avait prévenu qu'ils ne pourraient pas se dispenser d'un repas familial, une fois arrivés au domaine Latour. Vivre en famille avait aussi quelques inconvénients, dont celui de ne pas pouvoir cacher la venue d'un amant dans son lit. Malgré les maisons individuelles dans lesquelles les trois couples résidaient. Tout finissait par se savoir. Cependant, chacun savait pouvoir compter sur la discrétion des autres.

Sophie rassura Matthieu : il n'y aurait aucun commentaire grinçant quand elle annoncerait leur décision de vivre ensemble, hormis des quolibets sur le temps qu'il leur avait fallu pour se déclarer mutuellement leur flamme.

— Tout le monde se doutait de quelque chose.

— Florent avait compris que j'étais fou de toi, quand on était en Allemagne. Je ne pensais pas que les autres aussi…

— Il faut croire qu'ils sont bien plus clairvoyants que nous, mon cœur !

— On en a perdu du temps, ma puce !

— Oui, mais maintenant, on a toute la vie devant nous, susurra-t-elle en se lovant contre lui.

Comme prévu, leur arrivée au château Latour ne passa pas inaperçue.

— Enfin ! ne put retenir Marie, dont le sourire éclatant, à lui seul, suffisait à exprimer sa joie de voir les deux jeunes enfin unis par les mêmes sentiments. Elle se réservait le droit d'en discuter en privé avec sa fille. Mais plus tard ! Plus rien ne pressait désormais…

Ce soir-là, la grande tablée parlait fort, riait, trinquait encore et encore avec les vins du domaine. Les tapas multicolores préparés en vitesse par Camille et Marie accompagnaient les libations. Chacun y allait de sa blague ou de son histoire croustillante. Les deux amoureux ne se quittaient guère des yeux. Ils étaient heureux d'être en aussi bonne compagnie, bien qu'ils eussent préféré un tête-à-tête plus sensuel. Leurs regards échangés ne trompaient personne.

Le patriarche regardait sa famille autour de la table et il lui semblait que tout était à sa place. Sa femme l'accompagnait toujours, et depuis si longtemps. Quelques orages avaient éclaté entre eux mais ils avaient su les calmer et reprendre le cours de leur vie commune. Ses enfants vivaient tout près d'eux et étaient heureux. La nouvelle génération était en ordre de marche. Oubliée, l'Allemagne qu'il avait tant maudite cet été. Oublié, le drame qu'ils avaient dû endurer jusqu'au retour de leur fille bien-aimée. Les vendanges avaient été très convenables, malgré le gel calamiteux du printemps. Le domaine s'en sortait plutôt bien par rapport à certains confrères. Jean n'avait jamais eu une fierté hubristique, certainement dangereuse. Mais ce soir, il était fier, avec raison, de sa famille, et plus généralement de sa vie et de la façon dont elle se poursuivait.

Son sourire béat lui valut une caresse sur la joue de la part de Marie. Il retint sa main pour en embrasser la paume. Les mots entre eux étaient inutiles, ils se comprenaient fort bien d'un simple coup d'œil.

Un léger coup de klaxon les fit sursauter. Florent arrivait enfin.

— Voilà ! La famille est au complet ! murmura Marie à son époux.

Le nouvel arrivant, toujours en uniforme, fit le tour de la table pour les embrasser chacun à leur tour. Il s'attarda un peu plus auprès du nouveau couple. Il pinça doucement la joue de sa petite sœur et tapa très légèrement sur l'épaule de Matthieu.

— Ça va mieux maintenant ? se moqua-t-il gentiment.

Les deux héros de la soirée n'eurent pas besoin de parler. D'ailleurs, Florent n'attendait pas de réponse de leur part. Il s'assit près de Camille et Gabriel, qui tendit le bras pour lui servir un verre de rosé bien frais. Avec gourmandise, le jeune sapeur-pompier explora les assiettes de tapas. Il leur expliqua qu'il n'avait pas pris le temps de dîner pour être parmi eux au plus tôt.

— J'ai faim ! rugit-il en se ruant sur les rondelles de saucisson et les olives à l'ail.

— Moi aussi ! susurra Matthieu à l'oreille de Sophie.

Elle le regarda et comprit aussitôt qu'elle seule était l'objet de son appétit.

La nuit tombait doucement, enveloppant tout d'une ombre violette. Au loin, le soleil se couchait, allumant un incendie à l'horizon.

Camille se leva pour allumer les photophores et une lumière tremblotante anima l'obscurité.

Sophie rapprocha encore son fauteuil en osier de celui de Matthieu et posa tendrement sa tête sur son épaule.

— Je t'aime, prononça-t-elle rien que pour lui.

Chapitre 23

Décembre 2021

— Couvre-toi bien, mon amour, il fait très froid ce matin !

Matthieu était toujours aussi ému par l'attention sans faille qu'elle lui portait. Il prit une dernière fois Sophie dans ses bras et la couvrit de baisers avant de quitter la maison. Il regrettait de ne pas pouvoir lui apporter son aide pour tenir son stand au marché de Noël. Et il croisait les doigts pour que rien ne l'empêchât de la rejoindre cours Mirabeau pour partager son déjeuner.

Se séparer de Matthieu était chaque jour de plus en plus difficile. Leur union était totale. Aucun accroc ne venait ternir leur quotidien de jeune couple.

Cette période de l'année était très importante pour le domaine, économiquement parlant. Alors, rester dans son lit à rêvasser n'était pas envisageable. Bien qu'ils le regrettassent profondément...

La jeune femme devait retrouver Gabriel dans trente minutes. Elle se dépêcha de filer sous la douche. Matthieu avait déjà préparé le petit déjeuner, découvrit-elle en pénétrant dans la pièce à vivre. Elle éprouvait une certaine langueur en pensant à son bel amant. Il était si prévenant, si tendre, et tellement plein de fougue lors de leurs ébats. Elle se sentait comme amputée quand ils devaient se séparer, même pour peu de temps.

Fort heureusement, la veille, Gabriel et Jean avaient chargé les cartons de bouteilles dans le 4X4. Il faisait si froid ce matin, que la jeune femme apprécia vraiment de ne pas avoir à le faire quand elle sortit. Son frère l'attendait déjà et avait démarré la voiture, comme en témoignait le panache de fumée blanche qui s'envolait du pot d'échappement. Sophie grimpa dans le véhicule, embrassa Gabriel et attacha sa ceinture de sécurité.

— Bien dormi ? s'enquit le jeune homme.

Mais l'allure décidée et le visage rayonnant de sa sœur l'avaient déjà renseigné. La question n'était que de pure forme. Il embraya et la voiture emprunta doucement le chemin jusqu'à la route départementale.

La descente en lacets jusqu'à Narbonne se fit lentement. Une brume épaisse nappait le massif et les anti- brouillards la trouaient péniblement. Gabriel s'engagea dans le flot des voitures qui encombraient les grandes voies de circulation. L'heure matinale était propice aux embouteillages. Sophie admirait les décorations de Noël dont la ville regorgeait. Ils se garèrent enfin sur le cours Mirabeau, derrière le chalet de bois qu'ils avaient loué cette année. Sophie souhaitait de tout son cœur que l'investissement plutôt conséquent en valût la peine. La pandémie n'en finissait plus de perturber la vie économique du château et plus largement leur vie à tous. Il fallait que ce marché de Noël fût une réussite. Pour ça, ils avaient mis le paquet sur la communication. Depuis le début du mois, ça marchait plutôt bien, en tout cas mieux qu'espéré. Les recettes étaient tout à fait convenables. Le temps leur était très favorable. Il faisait très froid certes, mais le soleil était présent et engageait les gens à prendre l'air, même masqués.

Profitant d'un moment creux, l'esprit de Sophie vagabondait. Noël approchait à grands pas. Elle pensait avec fébrilité à ces fêtes de fin d'année avec Matthieu. Ce ne serait pas la première fois, bien sûr, puisqu'il était invité très souvent. Mais les passer dans ses bras serait une première.

Gabriel se dirigea vers le stand, escorté par Matthieu qu'il avait trouvé sur la place au sortir des halles, où il était allé livrer des cartons de vin commandés par un restaurateur. Le pompier, lui, sortait du parking couvert.

Dès qu'elle les aperçut, le cœur de Sophie rata un battement. Les deux hommes discutaient à bâtons rompus. De taille égale, les mêmes épaules larges, les cheveux noirs comme du jais, on aurait pu les prendre pour des frères. Comme elle les aimait ! Différemment bien sûr, mais elle donnerait sa vie pour l'un ou l'autre. Elle était si heureuse que l'entente se poursuivît entre eux, bien que les choses aient grandement changé. Depuis que Matthieu s'était installé chez elle, sa vie était plus belle, plus joyeuse. Plus torride aussi, se dit-elle en repensant à leur nuit dernière. Pas une fois, elle n'avait regretté quoi que ce soit. Matthieu était parfait pour elle. Et il lui assurait qu'elle l'était pour lui, qu'elle était celle qu'il avait toujours aimée et attendue. Chaque jour, elle vivait un merveilleux rêve éveillé.

Le seul petit caillou dans sa chaussure était son absence de souvenir à propos de son « accident ». Elle avait beau tenter de forcer un peu sa mémoire, rien ne revenait. Elle envisageait sérieusement d'interrompre les séances avec le thérapeute. Il l'avait beaucoup aidée, mais cet épisode demeurait inaccessible. Elle finissait par se faire une raison et désirait passer à autre chose.

Un baiser sonore interrompit le cours de ses réflexions. Matthieu l'encercla dans ses bras puissants. Elle se serra contre lui. L'étreinte dura peu de temps car Gabriel manifestait à voix haute son indignation.

— Hé, les amoureux, ça suffit comme ça. Attendez d'être tout seuls chez vous !

Le couple se sépara en riant.

— Jaloux, lui cria sa sœur.

Ils se dirigèrent vers le restaurant où ils avaient réservé une table pour treize heures. S'abriter et manger un bon plat chaud leur ferait du bien. Sophie avait les mains glacées et ne cessait de les frotter l'une contre l'autre dans l'espoir de les réchauffer.

Voyant son manège, Matthieu prit ses mains dans les siennes et les porta à sa bouche pour souffler dessus. Il en profita pour y déposer des baisers légers. Ce simple geste réveillait son désir. Il avait envie d'elle.

Une envie impérieuse qui montait dès qu'il la touchait. Ses yeux légèrement voilés par le désir caressaient la jeune femme.

Elle sentit, plus qu'elle ne vit, l'appel silencieux de Matthieu. Elle croisa son regard et n'eut aucun doute sur ce qu'elle y lut. Elle lui sourit et se pencha vers lui pour n'être entendue que de lui :

— Moi aussi !

Gabriel n'était pas dupe du jeu amoureux qui se déroulait autour de la table. Il regretta que Camille n'ait pu se libérer pour les rejoindre. Il se sentait de trop autour de la table. Mais il avait faim et saurait subir en silence les coups d'œil énamourés du jeune couple !

Le calme avait repris au domaine depuis début novembre. Camille était plus libre en cette saison. Les apéritifs vignerons avaient cessé dès la fin des vacances de Toussaint. Seuls quelques rares touristes louaient un gîte le temps d'un week-end. Elle profitait de ce temps libéré pour mettre de l'ordre dans les maisonnettes à louer, remettre en état telle ou telle chose, remplacer une lampe cassée, changer des rideaux… Avec grand plaisir, elle avait enfin pu reprendre ses séances de natation à la piscine de Narbonne. Elle se défaisait ainsi de la fatigue et du stress accumulé durant la saison touristique.

Aujourd'hui, elle devait aller à Carcassonne courir à la recherche d'un monstre vert hideux dont Alexandre ne cessait de leur rebattre les oreilles depuis quinze jours. Les magasins de jouets narbonnais avaient été dévalisés. Elle avait réussi à en réserver un dans une boutique à la cité. Les enfants attendaient la visite du père Noël avec une telle impatience qu'elle les qualifiait souvent d'insupportables. Mais au fond, elle les comprenait tellement.

La magie de Noël enveloppait le domaine de lumières scintillantes, le grand sapin dressé dans le coin du salon croulait sous les guirlandes et les boules. Les enfants avaient tenu à le décorer eux-mêmes, au grand dam de Camille qui aimait que les choses fussent faites avec une certaine harmonie. Cet arbre penchait lamentablement sur un côté, là où s'entassaient presque toutes les décorations. Elle n'avait pas eu le cœur de tout enlever et de recommencer. Victoire était si fière d'avoir été autorisée à décorer elle-même le symbole odorant des fêtes. Elle avait accepté, en rechignant un peu, que son petit frère l'aidât. Le résultat avait provoqué le fou rire de Gabriel. Mais il s'était bien gardé de mettre en doute le talent artistique de ses enfants, de peur de les décevoir.

Matthieu s'installa au volant de sa voiture et partit en direction du SDIS où il devait reprendre son service. Malgré le bon repas partagé avec Sophie et Gabriel, il restait sur sa faim. Un mal être l'encombrait depuis quelque temps. Il ne parvenait pas à s'en défaire. À Florent qui le questionnait, il avait avoué que quelque chose le turlupinait, mais sans vraiment s'en ouvrir complètement.

Le calme à la caserne lui offrit la possibilité d'approfondir ce malaise. Sans oser le lui avouer, il souhaitait construire une relation plus solide avec Sophie. Lui passer la bague au doigt et avoir un enfant avec elle. Les dramatiques péripéties allemandes de juillet puis son accident lui avaient fait prendre conscience de sa vulnérabilité et de la fragilité d'une vie. Son métier le conduisait à mettre sa vie propre en péril sur bon nombre d'interventions. À cause du traumatisme subi par Sophie, dont elle ne gardait aucun souvenir, à cause de la dangerosité de son métier, à cause de la jeunesse de leur couple, il ne réussissait pas à lui proposer un engagement pour la vie. Que deviendrait-elle si par malheur, il périssait lors d'une intervention ? Ça n'arrivait pas qu'aux autres. Ne serait-ce pas égoïste de lui demander de partager sa vie pour toujours, alors qu'il ignorait combien de temps durerait ce toujours.

Pourtant, un petit écrin bleu nuit reposait dans le vide-poche de sa voiture depuis plusieurs semaines. De temps à autre, il l'ouvrait, caressait du bout de l'index la pierre chatoyante, attendant il ne savait quelle voix divine qui le guiderait. Mais personne ne lui parlait. Pas plus sa voix intérieure qui se contentait sagement de ce qu'elle avait déjà. Pourtant, le dilemme était bien là. Chaque jour plus omniprésent.

Le jeune homme voulait tant protéger sa belle qu'il en oubliait que la vie était pleine de surprises, d'imprévus. Mais qu'elle était tellement plus que ça quand on la partageait avec l'amour de sa vie. Il fallait prendre des risques. Cent pour cent des gagnants avaient tenté leur chance, un jour ou l'autre. Ses tergiversations duraient depuis trop longtemps maintenant, il s'en rendait compte. Il devait trouver le courage de poser franchement la question à Sophie. Sauter le pas, ainsi qu'il l'avait fait début juillet. Fort de cette bonne résolution, il se promit de le faire.

La sirène retentit et mit fin à sa réflexion. Il attrapa au vol sa veste et sortit en courant.

Quand Sophie regagna enfin sa maison confortable et bien chauffée, elle se sentit mieux très vite. Elle avait eu si froid aujourd'hui qu'une douche chaude s'imposa à son esprit. Ensuite, elle préparerait un bon plat de spaghetti aux coquillages dont raffolait Matthieu. Lui plaire et lui faire plaisir était l'un des moteurs qui la faisaient avancer. Le bonheur de l'aimer autant était indicible. Elle avait trouvé son alter ego pour la vie.

Au moment où elle coupait le jet de la douche, son smartphone tinta. Elle s'enveloppa dans son peignoir de bain et courut, avec prudence pour ne pas glisser, jusqu'au canapé sur lequel elle avait jeté son sac à main. Ses yeux brillaient et son corps nu sous le vêtement d'éponge frissonnait à l'avance. Elle pensait que son sapeur-pompier préféré l'appelait, comme il en avait pris l'habitude lorsqu'il quittait le SDIS.

— Allo ?

— Coucou, ma bichette ! s'exclama Juliette. Comment vas-tu ?

Bien qu'un peu déçue que ce ne fût pas Matthieu, Sophie était ravie d'entendre son amie.

— Alors, comment ça se passe à Saint-Émilion ?

Les deux vigneronnes discutèrent un bon moment vinification, ventes à l'étranger, marchés de Noël. Le temps filait si vite entre rires et confidences. Juliette promit de venir la voir après les fêtes de fin d'année. Elle ne pourrait pas se libérer avant. Comme elle était la dernière recrue au château bordelais qui l'employait, elle n'avait pas eu le choix pour poser quelques jours de congés. Du coup, ses parents faisaient le déplacement jusque chez elle, afin de passer Noël avec leur fille chérie.

Sophie raccrocha et s'apprêtait à aller s'habiller quand la porte d'entrée s'ouvrit.

— Ma puce, c'est moi !

Elle se précipita dans ses bras.

— Mais, dis-moi, tu n'es pas très habillée, râla-t-il, le nez dans son cou.

Ses mains caressaient déjà ses seins ronds par l'ouverture du col châle du peignoir qui ne tarda pas à tomber sur le tapis.

Chapitre 24

Il faisait froid. Un froid sec d'hiver. Le soleil peinait à sortir de la masse nuageuse blanchâtre. Une petite volute de fumée s'envolait de la bouche des trois personnes campées au milieu d'un rang de ceps tordus et noueux, et témoignait qu'une discussion était en cours. Quelques canards sillonnaient le ciel, reconnaissables à leur cancanement. Les arbres encore nus tordaient leurs branches dans la brume. Pourtant, de-ci de-là, quelques bourgeons apparaissaient déjà. Le printemps était proche.

La vie reprenait dans les vignes et justement le clan Latour se mettait d'accord sur une date pour procéder à l'arrachage d'une parcelle située en contrebas du château. Le contrôle des services FranceAgriMer avait eu lieu le mois dernier. La lettre reçue la veille délivrait un feu vert. Il leur restait à peine deux mois et demi pour réaliser ce travail. Il devenait urgent de choisir une date. Passé avril, il serait trop tard.

Sophie, dont le bonnet enfoncé jusqu'aux yeux cachait ses longs cheveux blonds, se balançait d'un pied sur l'autre pour tenter de réchauffer ses orteils engourdis malgré les chaussettes épaisses dans ses bottes en caoutchouc. Elle frottait ses mains gantées l'une contre l'autre. D'un regard circulaire, elle voyait les rangs bien alignés et propres. La taille avait débuté au domaine Latour. Les sarments s'entassaient à l'entrée de la vigne. Un ouvrier était chargé de les ramasser et de les apporter au domaine. Camille serait contente. Les grillades familiales et celles des apéritifs vignerons avaient épuisé le stock de l'an dernier. Cette façon d'éliminer le fruit de la taille des ceps était somme toute très naturelle et plutôt économique.

Sophie avait du mal à se concentrer sur la discussion avec son père et son frère.

Matthieu avait évoqué une surprise pour leur première Saint-Valentin. Aussi, elle était impatiente et curieuse de savoir de quoi il s'agissait. Que pouvait-il faire de plus pour la combler que ce qu'il avait déjà fait depuis ces derniers mois ? « Déjà six mois », se dit-elle avec un frisson. Machinalement, elle toucha du bout de son gant le petit cœur serti de minuscules diamants qui pendait à son cou, au bout d'une fine chaîne d'or. Avec émotion, elle se remémora cette soirée inoubliable où il le lui avait offert, les yeux brillants d'amour.

Elle avait donc hâte d'être à ce soir. Il lui avait juste demandé d'endosser une tenue habillée et de préparer un petit bagage pour la nuit. Elle n'avait aucun autre indice pour tenter de connaître leur destination.

Matthieu rappela l'auberge étoilée à Fontjoncouse pour confirmer sa réservation et vérifier avec la réceptionniste que ses volontés avaient été exaucées. Il mettait un point d'honneur à ce que tout fût parfait. Cette soirée et cette nuit devaient être inoubliables. Il lui tardait de voir la réaction de sa belle. Ce qu'il avait à lui dire était vital, pour lui. Depuis qu'il avait pris sa décision, il ne voulait pas attendre. Il avait enfin réalisé que rien n'était écrit dans le marbre, qu'on ne pouvait pas savoir à l'avance ce qui arriverait à l'avenir. Mais il était sûr et certain d'une chose essentielle : il aimait cette femme plus que sa vie même et refusait de ne pas s'engager avec elle sous prétexte que l'avenir était incertain. C'était le cas pour tout le monde, et ils n'y faisaient pas exception. Alors il avait décidé que leur sort serait scellé ce soir même.

En rentrant à la maison, dès qu'il vit Sophie, il fut ébloui. Une robe noire très près du corps et légèrement décolletée moulait subtilement son corps de sirène. Ses jambes fines étaient gainées de bas noirs légèrement brillants. Elle était chaussée de stilettos noirs. Un très léger maquillage rehaussait sa beauté. Un nuage de parfum l'enveloppa quand il la prit dans ses bras. Il fit remonter sa main sous la robe pour caresser la peau douce, là où s'arrêtaient les bas. L'effet fut immédiat, nota-t-il en souriant. Elle l'électrisait, comme toujours.

— Dommage que tu sois déjà habillée, je t'aurai bien montré à quel point je t'aime, ma puce...

En riant, Sophie se dégagea.

— Coquin ! Va te préparer, mon amour.

Sophie trompait son impatience en feuilletant un magazine, dont elle aurait été incapable de dire ce qu'elle venait de lire. Ses yeux avaient suivi les lignes, mais rien n'était parvenu jusqu'à son cerveau. Son cœur battit plus vite lorsque Matthieu franchit le seuil du salon. Le costume gris anthracite lui allait à merveille. La chemise bleu pâle faisait ressortir son bronzage et ses cheveux sombres. Il était si beau qu'elle en tremblait. Elle le lui dit, la voix voilée par le désir. Pour un peu, elle aurait finalement accepté un petit tour dans leur chambre...

Sans fausse modestie, il accepta le compliment, sachant que Sophie était pétrie de sincérité. Ils se voyaient mutuellement avec les yeux de l'amour et leur monde était parfait.

Il l'aida à s'installer dans la voiture et ils prirent la route jusqu'à la barrière de péage de l'autoroute. Là, Sophie se demanda s'il ne l'emmenait pas en Espagne. Après tout, la frontière n'était qu'à une petite heure. Mais quand il sortit de la voie rapide à Sigean, elle comprit que sa première idée ne tenait plus. Malgré les œillades langoureuses, qu'il devinait plus qu'il ne les voyait, et les mots doux, il ne lâchait aucune information.

La nuit tombait vite et bientôt, seuls les phares éclairèrent la route. Le panneau Fontjoncouse la mit aussitôt sur la voie. L'emmenait-il à l'auberge de Gilbert Poisson ?

Le GPS signala qu'ils se trouvaient avenue Saint-Victor, ce qui n'éclairait pas du tout Sophie. Pourtant son intuition était bien la bonne cette fois. Matthieu pénétra sur le parking de l'auberge de la Vieille Source. Il coupa le contact et se retourna un instant vers elle.

— Joyeuse Saint-Valentin, ma puce !

Aussitôt, Sophie se rapprocha de lui et l'embrassa fougueusement sur la bouche.

— Merci, mon amour ! Je t'aime. Tu es mon valentin pour toujours.

À ces mots, le cœur de Matthieu s'emballa. Il tenta de l'apaiser et s'exhorta à la patience. Pour que tout fût comme il l'avait imaginé, il fallait encore attendre un peu.

Il l'aida à descendre de voiture, et bras dessus bras dessous, ils se dirigèrent vers l'entrée, non sans avoir admiré l'imposant poisson de fer forgé qui trônait sur la terrasse.

On les accueillit avec toute la discrétion et la retenue que l'on attendait d'un établissement luxueux. Une jeune femme les accompagna jusqu'à leur table, un peu isolée des autres et ornée d'un sublime petit bouquet de roses rouges.

Éblouie par tout ce luxe sans ostentation, Sophie regardait tout autour d'elle avec émerveillement. Matthieu, lui n'avait d'yeux que pour elle. Elle était son diamant pur, son éden personnel, son nirvana secret. Tout en elle l'émouvait. Il en tremblait.

Sophie posa sa main sur la sienne et murmura du bout des lèvres un « merci » silencieux. L'ambiance était si feutrée qu'elle n'osait pas parler.

Le sommelier leur apporta un seau à champagne en argent dans lequel rafraîchissait une bouteille. Le muselet apparent ne laissa pas place au doute quant au vin apporté. Une serveuse posa devant eux deux flûtes sur lesquelles les lumières ambiantes se reflétaient. Tout brillait. Aussi bien la vaisselle étincelante, que les bulles qui remontaient du fond des coupes de champagne.

Sophie n'osait pas prendre son verre, impressionnée par le décorum et par l'instant, qu'elle sentait solennel.

Matthieu approcha son verre de celui de Sophie pour trinquer.

— À notre bonheur ! À notre amour ! À toi, ma chérie !

En pleine expectative, la jeune femme, très émue, porta la flûte à ses lèvres. Les petites bulles très fines du breuvage doré lui picotaient le nez. Elle sentait que quelque chose d'important était en jeu, mais elle ne parvenait pas à comprendre de quoi il s'agissait. Matthieu allait-il lui annoncer qu'il était promu pilote ? Elle serait tellement fière de lui et ce serait réellement mérité. Il était si doué. À moins que ce ne fût une mutation. Elle chassa cette idée aussitôt. Rien ne devait venir attrister cette belle soirée qui s'annonçait. Et il n'aurait probablement pas voulu fêter ça comme ça, sachant quels problèmes ça leur occasionnerait, notamment pour le domaine Latour.

Un serveur leur apporta des amuse-bouches disposés artistiquement sur une petite assiette rectangulaire et déclina pour eux les saveurs qu'ils allaient y découvrir.

Matthieu sentait que ce n'était pas encore le moment, mais il ne tenait plus en place. Ses chaussures avaient dû commencer à creuser le parquet depuis qu'il agitait ses pieds. Tant pis ! Solennellement, il se leva, s'approcha de Sophie, très surprise et posa un genou à terre.

Avant même qu'il n'eût ouvert la bouche, la jeune femme couvrit son visage de ses mains et sentit monter les larmes à ses yeux. Son cœur battait à tout rompre.

Matthieu prit ses mains dans les siennes, la fixa d'un air éperdu d'amour et chevrota, tant sa gorge était nouée par l'émotion.

— Mon amour, veux-tu faire de moi l'homme le plus heureux du monde ?

— Euh... oui, bien sûr ! Mais elle notait qu'il n'avait pas réellement posé LA question, alors elle poursuivit :

— Dis-le-moi, mon cœur ! Que veux-tu ?

Matthieu bafouillait, tant il était troublé. Il respira un grand coup et posa enfin la vraie question :

— Veux-tu m'épouser, Sophie ?

Elle se leva précipitamment, le fit se redresser et se jeta dans ses bras. Tout contre son oreille, elle murmura plusieurs fois le OUI tant attendu. Ils étaient seuls au monde en cet instant béni. Ils reprirent leurs esprits en se rasseyant à leur place. Ils ne se quittaient plus des yeux. Leurs mains jointes sur la table se caressaient mutuellement. Les vraies questions matérielles viendraient plus tard. Un pas après l'autre.

Pour le moment, ils nageaient dans le bonheur.

Bonheur agrémenté de succulents plats proposés par le chef. Malgré cette superbe aventure gustative qui affolait leurs papilles, une autre faim les tenaillait. Et celle-là ne pourrait pas être rassasiée par une gourmandise servie avec les cafés qu'ils prirent au salon. Ils étaient impatients de rejoindre leur chambre.

Matthieu avait organisé les choses en grand, pour que le souvenir de cette soirée ne quittât jamais leur mémoire, ni à l'un ni à l'autre, quoi qu'il arrivât. Ils avaient vécu des drames qui auraient pu les séparer à jamais. Il voulait que ce moment, cet instant de leur vie à deux fût pour toujours inoubliable.

Avec une timidité mêlée d'impatience, ils quittèrent le salon pour gagner leur nid d'amour. L'immense chambre était plongée dans une semi-pénombre chaleureuse grâce à une belle applique qui s'alluma à l'ouverture de la porte. Le grand lit les attira comme un aimant. Sur la courtepointe étaient posés une belle rose rouge, une boîte de chocolats fins et un petit écrin de velours noir.

Sophie prit le temps de porter la fleur à son nez avant de la poser sur la table de chevet. Puis elle ouvrit l'écrin et découvrit une bague en or sur laquelle scintillait un diamant aux multiples facettes chatoyantes.

Matthieu la regardait, heureux de lire le plaisir sur le visage de sa future épouse.

Elle se lova contre lui pour le remercier et se rendit compte du désir culminant de l'homme de sa vie. Il rêvait de lui arracher cette robe moulante. Ils auraient le temps de discuter un peu plus tard. L'urgence était ailleurs. Charmeuse, elle pencha légèrement la tête en arrière, les yeux noyés d'amour.

Il la prit dans ses bras et la déposa sur le lit.

Imprimé en Allemagne
Achevé d'imprimer en octobre 2022
Dépôt légal : octobre 2022

Pour

Le Lys Bleu Éditions
40, rue du Louvre
75001 Paris